D0271933

Jonna & Milan

Ik mis je!

ik mis je!

Eva Susso

Illustraties
Jeska Verstegen

Liefdesbriefjes

Vlinders in je buik

De eerste zoen

Ik mis je!

Actuele informatie over Kluitmanboeken kun je vinden op www.kluitman.nl

Nur 282 / LP050701

First published by Alfabeta Bokförlag, Sweden
Oorspronkelijke titel: *Kafé Moonlight*
Nederlandse vertaling: Corry van Bree
Illustraties: Jeska Verstegen
Omslagontwerp: Frederike Boomars

www.kluitman.nl

Bij Koninklijke Beschikking
Hofleverancier

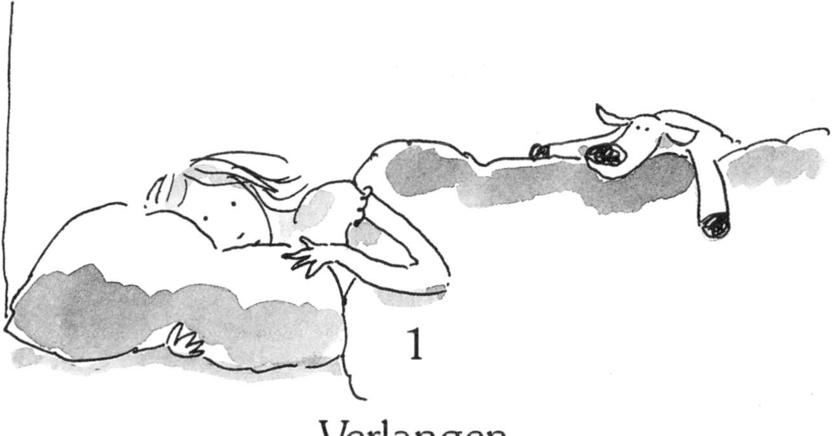

1
Verlangen

Jonna geeft het op. Het lukt haar niet om in slaap te vallen, want ze heeft kriebels in haar hele lichaam. Dat komt omdat ze Milan mist.

’s Nachts is alles erger dan overdag, als het licht is. In het donker voelt Jonna zich leeg en vergeten, als het verfrommelde dropzakje op haar nachtkastje.

En dat komt door Milan.

Niets is hetzelfde nu hij weg is. Normaal gesproken zien ze elkaar elke dag na school. En in het weekend doen ze leuke dingen. Ze hebben verkering, maar ze zijn ook vrienden.

Milan heeft Jonna een gouden ring met een blauw steentje gegeven. Die draagt ze altijd, aan haar linker ringvinger.

Jonna zet haar voeten op het kleed, doet het raam open en schudt haar kussen op. Ze vindt het niet prettig als haar kussen warm is. Ze heeft het al een paar keer omgedraaid, maar het helpt niet.

Er brandt licht achter een paar ramen in het flatgebouw tegenover haar. Boven het dak staat de maan, geel als een honingmeloen. Het bleke licht schijnt over de boomtoppen.

Jonna heeft dorst. Ze doet de lamp in de hal aan en loopt langs de grote spiegel. Ze kijkt even naar haar spiegelbeeld. Naar haar lange, blonde, verwarde haren, haar bleke wangen en de donkere kringen onder haar ogen.

Vroeger dacht Jonna dat je een heks zag als je precies om twaalf uur 's nachts, als het spookuur begon, in de spiegel keek. Dat was toen Fanny en zij nog in de onderbouw zaten. Als ze bij elkaar logeerden, vertelden ze elkaar in bed altijd enge verhalen. Fanny was daar hartstikke goed in.

De deur van de slaapkamer van papa en mama staat op een kier. Ze liggen doodstil onder het lichtblauwe dekbed. Als twee lepeltjes in een doosje. Alleen het dekbed beweegt een beetje door hun ademhaling.

Mama heeft eindelijk een baan in Zweden. Ze werkt nu als computeradviseur in Kista. Ze vertrekt niet meer naar andere landen om dan maandenlang weg te blijven, zoals vroeger. En papa schrijft niet meer 's nachts aan zijn boeken. Hij probeert kantoortijden aan te houden. Het meeste is in orde gekomen. Maar niet alles.

In de keuken pakt Jonna een glas water. Ze drinkt een paar slokken. Daarna gaat ze terug naar haar kamer.

Het kussen is afgekoeld in de voorjaarslucht. Misschien kan ze nu slapen. Als ze tenminste kan stoppen met denken aan Milan. Ze vraagt zich af hoe hij het in Afrika heeft.

Milan woont met zijn moeder in een flatgebouw vlak bij Jonna. Zijn vader, die uit Gambia komt, woonde daar eerst ook. Maar toen Milan nog klein was, scheidden zijn ouders en ging zijn vader terug naar Afrika.

Daarna hoorde Milan niets meer van hem. Totdat er vorig jaar vlak voor Kerstmis een brief kwam met foto's van de nieuwe vrouw van zijn vader, en van zijn kleine broertje en zusje. Milan wist niet eens dat hij die had.

Eerst zei hij niets tegen Jonna. Hij werd alleen heel stil en deed raar. Jonna begreep dat er iets bijzonders met hem aan de hand was. Uiteindelijk liet hij de brief en de foto's aan haar zien. Dat maakte haar trots en gelukkig. Hij vertelde dat het een tijd had geduurd voordat hij begreep dat het echt waar was. Natuurlijk wilde hij naar Afrika om ze allemaal te ontmoeten. Hij had gevraagd of Jonna met hem mee wilde.

Dat wilde ze natuurlijk wel. Maar papa en mama vonden Gambia te ver weg om zonder hen naartoe te gaan. Ze zeiden dat het gevaarlijk was in Afrika, bijvoorbeeld door muskieten, slangen en krokodillen.

Alsof Jonna bang zou zijn als Milan bij haar was. Ze hadden elkaar in de gaten kunnen houden en samen kunnen oppassen voor alles wat gevaarlijk was.

Jonna had er graag bij willen zijn wanneer Milan zijn vader eindelijk weer zag. Ze had zijn broertje en zusje en zijn vaders nieuwe vrouw willen ontmoeten. Dat zou zo leuk geweest zijn!

Soms komen er beelden van Afrika op het nieuws. Meestal gaat het dan over oorlog en hongersnood. Maar Milan zegt dat er geen oorlog in Gambia is. Er is armoede, maar iedereen heeft eten.

Jonna heeft in een encyclopedie over Gambia gelezen. Het is een piepklein land in het westen van Afrika aan de Atlantische Oceaan. Er stroomt een brede rivier doorheen, waardoor er niet veel plaats is om te wonen. In het hele land wonen maar zo'n anderhalf miljoen mensen. Dat is ongeveer twee keer zo veel als in Stockholm. De hoofdstad van Gambia heet Banjul. De meeste mensen leven van de landbouw; ze verbouwen pinda's en rijst.

Het lijkt zo spannend en apart. Heel anders dan Zweden. En in dat land had ze op dit moment kunnen zijn! Jonna heeft in elk geval besloten dat ze ernaartoe gaat als ze volwassen is. Zij wil ook weten hoe het is om in Afrika te wonen.

Milan is een paar weken geleden vertrokken. Jonna heeft op vliegveld Arlanda afscheid van hem genomen. Dat was verdrietig. Ze omhelsden elkaar een hele tijd en Milan beloofde om te schrijven.

Maar tot nu toe heeft ze nog niets van hem gehoord.

Het is lastig om te moeten wachten. Elke dag hoopt ze dat er een brief is, maar dat is nooit zo. Daarom bijt Jonna weer op haar nagels. En op school kan ze zich nauwelijks concentreren.

Gisteren heeft meester Chris Jonna meegenomen naar

de lerarenkamer. Ze gingen allebei in een draaistoel zitten om met elkaar te praten. Meester Chris vroeg of Jonna soms ergens mee zat. Toen heeft Jonna over haar grote angst verteld, de angst waarover ze met niemand praat. Ze is bang dat Milan van plan is om in Gambia te blijven.

Voordat hij vertrok, heeft hij het tegen haar gezegd. 'Ik woon al mijn hele leven bij mijn moeder. Misschien ga ik nu bij mijn vader en mijn nieuwe broertje en zusje wonen. Dat is wel zo eerlijk. En ik wil oerwoudtrommel leren spelen.'

Jonna begrijpt het niet. Hoe kan hij er, zelfs al is het maar in zijn wildste dromen, over denken om uit Groendal te verhuizen?

'Ben je wakker?' Mama sluipt naar binnen en gaat op de rand van haar bed zitten.

'Ik denk aan Milan,' zegt Jonna.

'Hij heeft het vast erg naar zijn zin,' denkt mama. 'Het moet geweldig zijn om je vader na zo veel jaar weer te zien. En al die andere familieleden die hem willen leren kennen. Milan heeft waarschijnlijk geen tijd om te schrijven.' Ze streelt Jonna's haren. 'En nu gaan we slapen,' zegt ze. 'Ik heb het morgen heel druk.'

2 Een fax

Om zeven uur gaat de wekker. Jonna trekt het dekbed over haar hoofd. Ze heeft helemaal geen zin om vandaag naar school te gaan.

Maar papa staat al in de deuropening en maakt grapjes. ‘Hop hop, kleine slaapkop. Het ontbijt staat klaar.’

‘Ik ben ziek,’ probeert Jonna. Haar ogen voelen aan alsof ze vol grind zitten.

‘Het is leuker dan je denkt om op te staan,’ zegt papa geheimzinnig.

‘Wat bedoel je?’ Jonna komt overeind. Ze hoort aan papa’s stem dat er iets bijzonders is.

Zodra Jonna de keuken binnenstapt, ziet ze het opgevouwen vel papier onder haar beker chocolademelk.

Eindelijk!

Ze stort zich op Milans brief en verslindt de eerste woorden:

Hallo Jonna! Hier komt een oerwoudfax uit Gambia.

De blijdschap borrelt in haar lichaam. Jonna wordt warm als een versgebakken broodje. Ze rent naar haar kamer en vergeet bijna om adem te halen.

Dan leest ze de rest:

Ik had je al veel eerder willen schrijven. Maar het is hier niet zoals in Zweden. De broer van mijn vader is de enige die een fax kan versturen, omdat hij op een kantoor werkt
De eerste week gingen we op visite bij mijn oma en opa. Die wonen in zo'n klein dorpje, daar hebben ze niet eens telefoon. En de wegen zijn een lachertje, haast alleen kuilen! (De regentijd begint bijna en dan wordt het nog erger, zegt mijn vader. Dan veranderen de wegen in rivieren!) Toen we weer uit het dorp weg wilden rijden, ging de auto stuk. We moesten bijna een week bij mijn opa en oma blijven, terwijl hij werd gerepareerd.
Ik mis je. Maar het is hier hartstikke leuk. Mijn vader is fietsenmaker. Ik help hem vaak, dus ik ben nu supergoed in banden plakken. (Omdat de wegen slecht zijn, komt dat vaak voor.) Mijn broertje en zusje werken heel hard, ook al zijn ze nog klein. Ze doen boodschappen, halen water, vegen het erf en voeren de kippen. De vrouw van mijn vader is lief, ze heet Mariama. Ze wil jou graag ontmoeten. Dat willen de anderen ook. Gelukkig spreekt bijna iedereen

hier Engels. En mijn vader kan nog steeds Zweeds praten.
Doe de groeten aan Birger, Nick, Isminni en Fanny. Je kunt een fax naar dit nummer sturen: 220-461100.

Knuffel van Milan

PS. Ik heb een trommel gekregen. Oom Baba leert me erop spelen.

Jonna leest de brief een paar keer. Een voor een barsten de bubbels van blijdschap uit elkaar.

Het is helemaal geen fijn gevoel dat Milan een heleboel spannende dingen meemaakt zonder dat zij erbij is. Stel je voor dat hij verandert, dat ze hem niet meer herkent als hij thuiskomt.

Als hij thuiskomt… daar schrijft hij niets over. Geen woord over weer naar huis gaan. En dat banden plakken klinkt verdacht. Alsof hij een baan heeft. Misschien mogen kinderen in Gambia wel werken. Jonna heeft gehoord dat er landen zijn waar dat gebeurt.

Maar Milan mist haar in elk geval. Dat is fijn. Vanavond schrijft ze een antwoord naar hem.

Ze legt de fax in de onderste la van haar bureau, onder haar nieuwe dagboek. Daarin gaat ze schrijven als Milan terug is. Op dit moment heeft ze er geen zin in.

Als ze weer aan de keukentafel gaat zitten, kijkt papa naar

haar vanachter zijn krant. Hij woelt door haar haren en schenkt nog een beker chocolademelk voor haar in. Gelukkig vraagt hij niets. Jonna wil nu even niet praten.

Zodra ze haar boterham met kaas op heeft, kleedt ze zich aan en gaat op weg naar school.

Fanny wacht voor de supermarkt. Ze draagt een nieuw spijkerjack en nieuwe gympen. 'Wat ben je laat,' zegt ze.

'Milan heeft een fax gestuurd,' vertelt Jonna meteen. 'Hij mist me.'

'Natuurlijk mist hij je,' zegt Fanny. 'Dat zou ik ook doen.'

Ze lachen en haasten zich langs de Zeehondenweg.

Het meizonnetje schijnt op het schoolplein en voor het eerst sinds weken vindt Jonna het leuk om het klaslokaal binnen te gaan.

Fanny is ook blij. Het is haar gelukt om meester Chris zover te krijgen dat ze naast Nick mag zitten. Dat was haar nooit gelukt als meester Chris had geweten dat Nick en zij verkering hebben.

Hun verkering is een goed bewaard geheim. Niemand in de klas weet ervan, behalve Jonna. En er is niemand die zelfs maar vermoedt dat Nick een vriendinnetje heeft. Hij is de computernerd van de klas. Of eigenlijk was hij dat vroeger, voordat hij verkering met Fanny kreeg. Nu zit hij veel minder op internet en heeft hij geen tijd voor computerspelletjes. Fanny wil altijd graag dingen doen. Ze houdt er niet van om achter een computer te zitten. Ze is rusteloos. Dat weet Jonna, want Fanny en zij zijn al vriendinnen vanaf de crèche.

Omdat Nick met Fanny is, is hij ook bevriend met Jonna, Milan, Birger en Isminni. Tegenwoordig is Nick er altijd bij als ze leuke dingen doen.

Elke dag zijn ze in de grote pauze bij de gymzaal te vinden. Birger en Isminni zitten in dezelfde klas als Milan. Dat zij verkering hebben, is geen geheim. Ze zitten zowat aan elkaar vastgelijmd. Je ziet ze altijd samen, aan elkaar hangend of om elkaar heen geslingerd.

Jonna heeft gehoord dat ze vorige week tijdens de verzorgingsles stiekem hebben gezoend. Toen iedereen gehaktballetjes rolde, hebben ze zich in de grote voorraadkast verstopt. Isminni werd vuurrood toen de juf de deur opendeed en zag wat ze deden. Birger zei dat ze het zout zochten, maar daar trapte de juf niet in. Dat was niet zo vreemd, want het zout stond al op het aanrecht.

Stralend van blijdschap doet Jonna iedereen de groeten van Milan.

'Ik wist niet dat ze in ontwikkelingslanden faxen hadden,' zegt Isminni verbaasd.

'Dan weet je het nu,' lacht Jonna.

'Doe de groeten maar terug,' roept Nick. 'En schrijf dat hij moet oppassen voor krankzinnige krokodillen.'

Ze kletsen over van alles en nog wat, tot Birger een interessant verhaal begint te vertellen.

'Gisteravond, toen ik op de Vossenheuvel was om Sigge uit te laten, zag ik iets geheimzinnigs,' begint hij.

'Wat dan?' vraagt Nick.

'Jullie kennen dat kleine eiland toch, dat in het Malarenmeer ligt, vlak bij de oever? Er staan alleen een paar lege bouwvallen.'

'Bedoel je Lindholmen?' vraagt Jonna.

Afgelopen winter, toen het ijs dik genoeg was, is ze er met papa naartoe gelopen. Het was spannend om tussen de oude, afgesloten, houten huizen van het eiland te lopen. Om door de ramen in de koude kamers naar binnen te kijken. In sommige stonden nog lege bedden, stoelen of tafels. Helemaal aan het eind van het eiland stond een schattig zomerhuisje, waar ze een tijdje hadden gezeten om van de winterzon te genieten.

'Precies,' knikt Birger. 'Er zitten daar een paar verdachte figuren. Ik zag twee mannen met zwarte kleren ernaartoe roeien in een gele kano. Ze trokken de kano in de bosjes en verdwenen achter de bomen. Ik weet zeker dat ze zich ergens op het eiland schuilhouden.'

Nicks ogen worden rond als tafeltennisballen. 'Vast drugsverslaafden of dieven die uit de gevangenis zijn ontsnapt,' zegt hij. 'Waarom zitten ze daar anders? Op Lindholmen is geen water. En ook geen elektriciteit.'

Isminni slaat haar hand voor haar mond. 'Help, wat eng!' gilt ze.

Maar Jonna voelt het lekker kriebelen in haar buik. Het is

tegelijkertijd griezelig en spannend. Zoals kijken naar een film op tv die niet geschikt is voor kinderen.

Op dat moment komt de pleinwacht in hun richting lopen. Het is Lena, de handenarbeidjuf.

Birger houdt zijn vinger voor zijn mond en fluistert snel: 'Jullie houden je mond hierover.'

Lena komt met een glimlach om haar mond dichterbij. Ze houdt ervan om grapjes met Birger te maken. 'Staan jullie hier de wereldproblemen te bespreken?' vraagt ze.

'Hoe moeten we dat doen als we alleen maar aspergesoep te eten hebben gehad?' zegt Birger met een glimlach, zodat de kuiltjes in zijn wangen zichtbaar worden.

'Je ziet er niet uit alsof je honger lijdt, Birger,' antwoordt Lena.

Birger wrijft over zijn ronde buik. 'Dat komt door mijn moeder,' knikt hij. 'Zij zorgt goed voor haar kleine jongetje.'

Lena lacht, want Birger is niet klein. Hij is de grootste van de hele school. Zowel in de lengte als in de breedte.

Het is tijd voor de rekenles. Meester Chris overhoort de tafels. Die van acht en van negen zijn het moeilijkst. Daarna moeten ze op papier sommen uitrekenen. Jonna schrijft in plaats daarvan stiekem een brief.

Hallo Milan!

Hier komt een fax van mij uit Zweden. Dank je wel

voor je brief! Het is hier heel mooi weer. De krokussen komen op en ze ruiken naar parfum. Als je thuiskomt, kunnen we picknicken bij het strandbad. Ik durf te wedden dat ik het eerst in het water lig!
Ik mis je verschrikkelijk. En dat doen de anderen ook. Allemaal. Zelfs mama en papa. We verlangen zo naar je dat we het bijna niet uithouden...

Je Jonna

3
Een roze geranium

Papa heeft zich opgesloten in zijn werkkamer. Hij draait operamuziek. Dat betekent dat hij aan zijn nieuwe boek schrijft en dat ze hem niet mag storen, weet Jonna. Het wordt dit keer een misdaadverhaal.

Jonna gooit haar schooltas op de grond, gaat op bed liggen en pakt de brief voor Milan. Die is helemaal niet goed. Milan is vast niet geïnteresseerd in het strandbad als hij de Atlantische Oceaan heeft om in te zwemmen. Hij heeft Jonna in reisgidsen laten zien hoe het strand eruitziet. Er gaan vakantievluchten naar Gambia omdat de toeristen dolgraag op die heerlijke witte zandstranden in de zon willen liggen.

Ze verkreukelt de brief en gooit hem op de grond.

'Jonna!' Mama roept haar vanuit de hal.

Wat nu weer? Jonna komt moeizaam overeind.

Mama heeft aarde, planten, zakjes zaad en roze geraniums gekocht.

'Ik ben naar het tuincentrum geweest. Vandaag gaan we

het balkon mooi maken,' zegt ze. 'Beter laat dan nooit.'

In het scherpe voorjaarslicht ziet alles er vies uit. Jonna veegt het winterstof van het beton en mama legt rieten matten neer. Daarna gaat mama naar binnen om papa te storen. Hij gaat met tegenzin naar de kelder en haalt de potten en tuinmeubelen naar boven.

Als hij klaar is, drinken ze een glas frambozensap op het balkon. Het is een beetje fris, dus hebben ze hun jassen aan. Beneden op straat rijdt de nieuwe tram voorbij. En verderop bij de jachthaven beginnen de bladeren van de bomen uit te komen. Over een paar weken is het zo groen dat het Malarenmeer niet meer te zien zal zijn.

Dan is het eindelijk zomer!

Het is heerlijk om 's avonds beneden op de rotsen te zitten en te kijken naar de zeilboten die met brandende lampen over het water glijden.

Milan is niet goed bij zijn hoofd dat hij in Gambia wil blijven, denkt Jonna. Groendal is het mooiste plekje op de hele aarde.

Terwijl papa avondeten kookt, gaan mama en Jonna verder met de planten. Mama vult de potten met aarde en geraniums en Jonna plant zaadjes van pronkbonen, lathyrus en chilipeper. In andere potten maakt ze kuiltjes en zet daar basilicum-, tijm- en rozemarijnplantjes in.

'Wat gaan we daarmee doen?' vraagt ze, terwijl ze naar de laatste geranium wijst.

'Ik dacht dat we die maar aan Frida moesten geven,' legt mama uit.

Frida woont in een eenkamerflat aan de andere kant van de lift. Ze heeft daar altijd gewoond. In elk geval zolang Jonna zich kan herinneren. Nu is ze oud en moe. Ze zit meestal naar de radio te luisteren. En ze maakt geen warme chocolademelk met slagroom meer als Jonna op visite komt.

'Wel heb ik ooit, wat een mooie plant,' roept Frida uit. 'Stel je voor dat de winter eindelijk voorbij is. Ik ga Rudolf vragen of hij morgen met me mee gaat wandelen. Ik heb een rollator gekregen waarmee ik moet oefenen.'

Rudolf is Frida's vriend. Hij woont in een verzorgingsflat bij het Trekantenmeer in Groendal.

'Hoe is het met Rudolf?' vraagt Jonna.

'Hij redt zich wel,' antwoordt Frida. 'Maar mannen zijn minder sterk dan vrouwen, al verbeelden ze zich dat ze in alles beter zijn.' Frida's kraalogen glinsteren vrolijk. Ze gaat in haar favoriete gebloemde stoel zitten en legt een deken over haar benen. 'Heb je al iets van je vriend Milan gehoord?'

Jonna haalt de fax tevoorschijn. Frida is de enige die hem mag lezen.

Het is makkelijk om met Frida over moeilijke dingen te praten. Over gevoelens en gedachten waarover ze niet met papa en mama praat. Die maken zich te veel zorgen.

Dat doet Frida niet. 'Ik vraag me af hoe het voelt om

allemaal mensen met een donkere huid om je heen te hebben,' zegt ze. 'Stel je voor, wat zal dat raar zijn als je de enige bent met een blanke huid. Dat heb ik nooit meegemaakt.'

'Ik mis Milan,' zegt Jonna.

'Iemand missen is het moeilijkste dat er is,' weet Frida. 'Mijn man stierf toen ik nog jong en mooi was. Ik miste hem vreselijk. En ik mis hem nog steeds, hoewel ik Rudolf heb.' Plotseling loopt er een traan langs Frida's gerimpelde wang.

Jonna pakt haar hand. De huid is heel dun en de aderen zijn duidelijk zichtbaar. Ze kijken elkaar aan.

'Milan komt snel weer thuis,' zegt Frida.

Voordat Jonna weggaat, vraagt Frida om hulp. Haar jurk zit vol koffievlekken en ze vindt het moeilijk om zelf iets anders aan te trekken.

Jonna heeft Frida al eerder geholpen met omkleden. De vieze jurk is in een oogwenk uit en Frida sloft naar de kledingkast om een schone te halen. Haar onderjurk hangt als een zak om haar heen. Daaronder ziet Jonna haar kleine lichaam, dat gerimpeld en verschrompeld is als een oud appeltje.

Er komt een dag dat ik er ook zo uitzie, denkt Jonna. Frida is minstens tachtig. Dan duurt het dus nog zeventig jaar. In die tijd heb ik van alles meegemaakt. Dan ben ik van school af, heb ik een baan, ben ik getrouwd en heb ik kinderen gekregen...

Frida bedankt voor de plant en zegt dat ze gaat rusten.

Jonna gaat naar huis.

Als Jonna haar huiswerk heeft gemaakt, belt Birger.

Jonna heeft een eigen mobieltje. Ze doet de deur dicht, zodat ze ongestoord kan praten zonder dat papa en mama meeluisteren.

'Ga je mee naar de Vossenheuvel?' vraagt Birger. 'Isminni en ik gaan Sigge uitlaten. We willen de misdadigers op Lindholmen bespioneren.'

Jonna kijk op de klok. 'Oké,' antwoordt ze. 'Maar het mag niet te laat worden. Ik moet om halfnegen thuis zijn.'

4 Bespioneren

Birger, Isminni en Sigge wachten voor de supermarkt. Sigge is Birgers hondje. Hij is slim als een poedel en vrolijk als een terriër. Zijn vacht is warrig en hij kwispelt blij met zijn staart als Jonna dichterbij komt.

Ze lopen langs de Groendalseweg in de richting van de Eikenberg. Ze komen langs de haven en lopen door het dennenbos, nemen de lange trap en gaan over het pad naar de top, waar de ronde, stenen tafel staat. Vanaf dat punt hebben ze een perfect uitzicht.

Het Malarenmeer ligt onder hen; het glanst zwart als teer. Wat verderop rijst Lindholmen uit het water op, met zijn struiken, bomen en onbewoonde huizen.

Birger heeft een verrekijker bij zich. Die houdt hij voor zijn ogen. 'Ik zie niks,' zegt hij ontevreden.

Jonna en Isminni staan zwijgend naast hem, omdat geluid over het water hard klinkt. En als er mensen op het eiland zijn, mogen die niet weten dat ze bespioneerd worden.

Plotseling sist Birger: 'De gele kano! Hij steekt uit de bosjes.'

'Dan zijn de misdadigers er,' fluistert Jonna.

'Mag ik eens kijken?' mompelt Isminni. Ze rukt de verrekijker uit Birgers handen. Na een paar seconden begint ze te gillen. 'Ik zie ze! Ik zie ze! Ze komen uit het huis.'

De kraaien die in de bomen op Lindholmen zitten, stijgen op en fladderen onrustig krijsend rondjes in de avondhemel.

Jonna's hart bonkt in haar keel, terwijl Sigge als een gek begint te springen en te blaffen. Hij denkt waarschijnlijk dat er iets leuks gaat gebeuren.

'Hou je kop,' sist Birger. Het duurt even voor hij Sigge stil krijgt. Dan kijkt hij woedend naar Isminni. 'Hier met die verrekijker!'

Isminni kijkt hem hooghartig aan. 'Ik wil naar huis,' zegt ze. 'Ik heb het koud.'

'Typisch meiden,' klaagt Birger. 'Weggaan als het spannend begint te worden.' Hij gaat op de stenen tafel staan en kijkt weer door de verrekijker. 'Ik zie ze,' zegt hij. 'Het zijn twee mannen; ze zijn niet zo oud. Ze sluipen gebukt naar de kano. Nu duwen ze hem in het water en varen hiernaartoe.'

Dan gebeurt er iets vreemds.

Opeens begint Sigge te kwispelen en aan zijn riem te trekken.

Als Jonna zich omdraait, staat er een meisje vlak achter haar. Haar roodbruine haren heeft ze in een staart en ze draagt een zwart, versleten leren jack. Om haar nek hangt een leren bandje met daaraan een roze steen in de vorm van een druppel.

Het meisje kijkt naar Jonna met verdrietige groene ogen. Even trekt er bliksemsnel een glimlachje over haar gezicht.

Jonna vindt dat ze op een bosnimf lijkt.

'Wat doen jullie?' vraagt het meisje. Haar stem is donker en past niet bij haar tengere lichaam.

Jonna krijgt een kurkdroge mond. Wat moet ze verzinnen? 'We kijken naar de vogels,' perst ze eruit.

Het meisje trekt vragend haar wenkbrauwen op.

Birger springt van de stenen tafel om Jonna te hulp te schieten. 'Er zijn veel kraaien op het eiland,' zegt hij met een onschuldig gezicht.

Het meisje lacht zacht. 'Kauwen zul je bedoelen.'

Birger kucht en schraapt zijn keel. 'O ja,' mompelt hij. 'Ik bedoel kauwen.'

Sigge kwispelt met zijn staart om de aandacht van het meisje te krijgen. Ze gaat op haar hurken zitten en aait hem.

'Wat heeft ze op haar hand?' fluistert Isminni in Jonna's oor.

Op de rechterhand van het meisje staan twee grote, zwarte letters. *V.M.*

Isminni stompt Jonna in haar zij. Ze wijst met haar hoofd dat ze ervandoor moeten. Jonna begrijpt dat Isminni hetzelfde denkt als zij. Het meisje hoort bij de misdadigers.

Birger staat ook klaar om weg te rennen.

Jonna en Isminni zijn het snelst. Hijgend blijven ze bij de trap op Birger wachten.

Hij komt de berg af rennen met Sigge achter zich aan. Hij is witheet, want hij heeft zijn verrekijker op de stenen tafel laten liggen. 'Shit,' mompelt hij. 'We moeten terug om hem te halen.'

'Dat doe ik niet,' protesteert Isminni.

Jonna heeft ook geen zin. 'Joh, we halen hem morgen wel.'

Op dat moment gaat Jonna's mobiel. Het is mama, die zich afvraagt waar ze uithangt. Het is al negen uur.

's Nachts heeft Jonna een nachtmerrie. Ze dwaalt rond over een verlaten eiland. Overal slingeren planten met gifgroene bladeren en grote, purperen bloemen. Apen krijsen en dikke slangen kronkelen tussen de boomwortels. Ze kan niet vluchten, want de angst heeft haar armen en benen in pap veranderd.

Als Jonna wakker wordt, vliegt ze uit bed. En voor het eerst in een heel lange tijd neemt ze haar kussen mee en gaat naar papa en mama. Ze schuift tussen hen in.

Dat is fijn. Ze voelt mama's zachte lichaam en dunne benen. Ze hoort papa's zachte gebrom. Het is benauwd en veilig. De droom verdwijnt uit haar gedachten en al snel slaapt ze weer.

5
Jongens en mysteries

De volgende ochtend krijgt Jonna weer een fax van Milan.

Papa geeft hem tijdens het ontbijt. 'Die kwam gisteravond laat,' vertelt hij. 'Hij lag te wachten tot je wakker werd.'

En ik heb nog niet eens op de vorige geantwoord, denkt Jonna. Ze begint zwijgend te lezen, maar papa kijkt zo nieuwsgierig, dat ze hem hardop voorleest.

Hallo Jonna!

Hier komt een oerwoudfax uit Gambia.
Er is zo veel dat ik je wil vertellen. Over mijn vader
bijvoorbeeld. Ik weet nu waarom het zo lang duurde voordat
hij iets van zich liet horen. Toen mijn moeder en hij
gescheiden waren, was hij ontzettend eenzaam en
verdrietig, en ging hij naar zijn familie in Gambia. Hij
was niet van plan om zo lang te blijven.
Maar toen kreeg een van zijn broers hoge koorts.

Waarschijnlijk was het malaria. Dat is hier een normale ziekte, die je van muggen krijgt. (Maar ik niet, want ik slik elke dag malariapillen.)
De broer van mijn vader was visser. Toen het zo slecht met hem ging, nam mijn vader zijn werk over. Elke nacht als hij in de boot lag en naar de sterren keek, dacht hij aan mij. Hij vroeg zich af hoe het met me was. Maar plotseling stierf zijn broer en mijn vader moest in het vissersdorp blijven om zijn familie te helpen.
Er was in die tijd nog geen telefoon of fax. En mijn vader is niet zo goed in brieven schrijven.
De tijd ging voorbij. Toen ontmoette hij Mariama. Hij vertelde haar over mij. En toen ze naar de stad verhuisden, spraken ze af dat mijn vader contact met me zou zoeken.
Ik schrijf je morgen weer.

Knuffel van Milan

'Dat is een mooie brief,' vindt papa.

Jonna knikt.

'Milan is ook een mooie jongen,' zegt papa met een knipoog.

Jonna doet alsof ze het niet ziet. Ze vindt het niet fijn als papa zo belachelijk doet.

De ochtend gaat razendsnel voorbij. Ze krijgen Engels,

rekenen en Zweeds. Jonna zit de hele tijd uit het raam te kijken. Het regent en de hemel is grijs.

Meester Chris tikt zachtjes op haar hoofd. 'Dromelotje,' grapt hij. 'Wakker worden.'

Gelukkig laat hij haar verder met rust. Het is goed dat ze met hem heeft gepraat. Meester Chris weet waarom ze niet met haar hoofd bij haar schoolwerk is.

Meteen na de lunch haasten Jonna, Fanny en Nick zich naar de gymzaal. Birger en Isminni zijn er al. Het regent, dus ze gaan onder het afdakje voor de ingang staan.

Fanny en Nick leunen tegen de muur en zetten grote ogen op als Jonna, Birger en Isminni vertellen over de mannen op het eiland, het geheimzinnige meisje dat uit het niets opdook en de vergeten verrekijker.

Even blijft het doodstil.

'Dit is echt het allerspannendste dat er ooit in Groendal is gebeurd,' zegt Nick ten slotte.

'Jullie moeten terug om de verrekijker te halen,' merkt Fanny op met een huivering in haar stem.

'Yep,' grijnst Birger. 'Gaan jullie mee?' Birger is helemaal niet bang; hij vindt het alleen maar grappig.

Na school gaan Jonna en Fanny naar banketbakkerij Kringlan om thee te drinken. Ze hebben alle twee geld voor iets lekkers gekregen. Ze gaan aan hun favoriete tafeltje zitten, nemen een kaneelbolletje en praten.

'Ik weet niet of ik vanavond mee durf naar de Vossenheuvel,' aarzelt Fanny.

'Nou ja,' zegt Jonna. 'Ik vind het ook verdacht dat die mannen op het eiland rondlopen, maar dat meisje zag er aardig uit. Ik geloof niet dat het zo gevaarlijk is. Birger overdrijft; jongens houden nou eenmaal van geheimzinnig gedoe.'

'Dus jij bent niet bang?' vraagt Fanny.

'Het enige waar ik bang voor ben, is dat Milan wordt opgegeten door een krankzinnige krokodil,' antwoordt Jonna. Ze lacht erbij, zodat Fanny snapt dat ze een grapje maakt. Haar echte angst vertelt ze niet. Het is niet nodig dat Fanny er ook over gaat piekeren dat Milan misschien bij zijn vader blijft.

'Je mist hem natuurlijk,' begrijpt Fanny.

Jonna kijkt haar dankbaar aan. 'Ja. En daarom hoop ik dat er vanavond iets spannends gebeurt,' zegt ze vastbesloten. 'Dan kan ik hem daarover schrijven en krijgt hij misschien heimwee.'

'Oké, dan ga ik ook mee naar de Vossenheuvel,' besluit Fanny.

Mama heeft overgewerkt. Het is zeven uur als ze roept dat het avondeten klaar is.

Jonna heeft haast. Ze gaat aan de keukentafel zitten en schept salade en vegetarische lasagne op haar bord.

Papa en mama praten, maar Jonna luistert niet. Ze kauwt

zo snel als ze kan.

Als ze hun mond houden, stelt ze haastig haar vraag. 'Is het goed als ik vanavond met Birger en de anderen de hond ga uitlaten? Het wordt wat later dan gisteren.'

Papa en mama leggen hun bestek neer. Ze kijken naar haar met verraste, opgewekte gezichten.

'Wat fijn dat je iets leuks hebt gevonden om te doen,' merkt papa op. 'Ik vind het niet prettig om je zo hangerig en terneergeslagen te zien, zoals de laatste tijd.'

Jonna weet niet precies wat 'terneergeslagen' betekent, maar het klinkt enorm verdrietig. 'Ik ben niet terneergeslagen,' protesteert ze.

Papa en mama kijken elkaar aan met een blik die betekent dat ze beter weten hoe Jonna zich voelt dan zijzelf.

Jonna bijt op haar lip. Ze snappen er helemaal niets van!

Toch is het prettig als mama over haar wang aait. 'Het komt gewoon omdat we zo veel van je houden,' legt ze uit.

'Hm,' mompelt Jonna afwezig. Ze zet haar bord op het aanrecht, trekt snel haar jas aan en maakt een dubbele knoop in de veters van haar sportschoenen. 'Bedankt voor het eten,' zegt ze. 'Ik ga nu.'

'Pas goed op jezelf,' waarschuwt mama.

'Natuurlijk,' knikt Jonna. 'Birger en de anderen zijn er toch ook bij.' Ze doet de deur achter zich dicht.

Het avontuur wacht!

6

Een boodschap in een luciferdoosje

Birger, Sigge, Isminni, Fanny en Nick staan al voor de supermarkt. Zwijgend gaan ze op weg naar de Vossenheuvel.

Het regent niet meer, maar de hemel is loodgrijs. In het donkere dennenbos lopen ze vlak achter elkaar, alsof ze een reusachtig olifantenlichaam zijn, met Sigge als kop.

De bosanemonen lichten op in het duister. Jonna bedenkt dat ze op de terugweg een boeket voor Frida kan plukken. Maar eerst moeten ze de verrekijker ophalen die Birger heeft laten liggen.

Ze vraagt zich af hoe dat zal gaan. Er kan van alles gebeuren. Misschien zijn die mannen echt gevaarlijk. En hebben ze de verrekijker meegenomen om hen naar het eiland te lokken. Misschien zijn ze zelfs van plan om een van hen te ontvoeren en te proberen losgeld van hun ouders te eisen.

Dat beweert Birger in elk geval. Met gedempte stem vertelt hij een heleboel enge dingen.

Jonna gelooft Birgers verhalen niet. Toch hoopt ze dat er iets gebeurt wat spannend genoeg is om aan Milan te schrijven. Ze weet niet precies wat. Maar het moet genoeg zijn om ervoor te zorgen dat hij heimwee krijgt.

Eindelijk houdt Birger zijn mond. De anderen zwijgen ook. Ze denken onder het lopen na over wat hij heeft gezegd. Het enige wat ze horen, zijn de takken die onder hun schoenzolen breken, en het gehijg van Sigge.

Het lijkt wel of Jonna haar eigen hart kan horen slaan.

'Gelukkig hebben we een hond bij ons,' fluistert Fanny plotseling. 'Hij kan ons beschermen.'

Jonna begint hardop te lachen. Zou er iemand bang zijn voor dat kleine, schattige bolletje haar? Ze kijkt naar Sigge, die onbezorgd aan stenen en boomstronken snuffelt. Hij kwispelt opgewekt.

'Ik vind dat we naar de politie moeten gaan,' merkt Isminni op.

'Natuurlijk niet,' protesteert Birger. 'Dan arresteren ze die misdadigers meteen. We willen eerst een beetje lol hebben.'

'Je kunt geen lol hebben met idioten.' Isminni's stem sterft weg. Ze trekt de capuchon van haar jas bij wijze van bescherming over haar lange, zwarte haar. Haar donkerbruine ogen zijn groot en waakzaam.

Jonna geeft Isminni een arm.

'Kalm maar, meisjes.' Nick maakt zich groot. 'Jullie hebben twee sterke mannen bij je. Wij verdedigen jullie als er iets gebeurt.'

Fanny blijft staan en kijkt naar hem. 'Doe even normaal,' sist ze. 'We kunnen heus wel voor onszelf zorgen. Trouwens, ik denk dat Birger en jij overdrijven. Jullie hebben te veel actiefilms gezien.'

'Typisch jongens!' knikt Jonna. 'Jullie willen gewoon de held spelen.'

Fanny en Jonna barsten in lachen uit. De betovering is verbroken. Isminni begint ook te giechelen.

'Kom op,' mompelt Birger. 'Anders duurt het de hele nacht.'

Maar Sigge heeft geen haast. Hij tilt zijn poot op en laat een geurspoor in het mos achter.

Eindelijk komen ze bij de stenen tafel. Aan de horizon zien ze een goudgele streep. De vochtige lucht kruipt in hun kleren.

Jonna huivert. Lindholmen is de laatste plek waar ze een nacht zou willen doorbrengen. Ze kijkt naar Groot Essingen, de wijk die achter de Eikenberg ligt. Daar fonkelen de lichtjes van de huizen. Het ziet er knus uit. In de andere richting, aan de overkant van het water, ligt strandbad Solvik. Toen Jonna klein was, zijn ze daar 's zomers een keer met de hele familie geweest om te zwemmen.

Maar nu moeten ze Lindholmen in de gaten houden. Jonna staart zo strak naar het eiland, dat haar ogen beginnen te prikken. Vanavond lijkt het eiland verlaten, als een oud scheepswrak. Maar misschien toch niet helemaal...

De kauwen beginnen rondjes te vliegen als er plotseling

rook tussen de bomen opstijgt.

Iemand heeft een vuur gemaakt achter een van de huizen.

'Slim,' snuift Birger. 'Ze verstoppen zich. Nu moeten we erachter zien te komen waar de verrekijker is.' Hij begint rond de stenen tafel te zoeken. Dan kijkt hij naar de anderen en schudt geïrriteerd zijn hoofd. 'Ze hebben hem gejat,' zegt hij kortaf.

'Ik zei toch dat we naar de politie moesten gaan,' zeurt Isminni.

Midden op de stenen tafel ligt een luciferdoosje. Jonna pakt het op en schudt ermee. Het is leeg. Zonder dat ze er een speciale reden voor heeft, maakt ze het open. Ze kijkt erin en dan ziet ze het. Op de onderkant van het doosje staat iets geschreven.

Morgen om 22.00 uur in de dynamietfabriek. V.M.

Jonna weet waar de dynamietfabriek is. Die is vlakbij, in het loofbos aan de andere kant van het water. Ze is er vaak met papa geweest. Er zijn tunnels in de berg die naar kelders met dikke betonnen muren lopen. Lang geleden, toen Alfred Nobels dynamietfabriek nog bestond, testten ze daar het dynamiet. Tegenwoordig is het een bezienswaardigheid. Er komen zelfs toeristen uit Japan om de kelders in de berg en de oude fabriek te bekijken. Dat komt doordat er een wereldberoemde prijs naar Alfred Nobel is vernoemd, die door de Zweedse koning wordt uitgereikt aan slimme wetenschappers en goede schrijvers. Jonna heeft de Nobelprijsuitreiking een paar keer op de televisie gezien. Het is erg officieel.

'Kijk.' Ze laat het luciferdoosje zien.

Op hetzelfde moment rukt Sigge de riem uit Birgers hand. Hij stormt de heuvel af en verdwijnt tussen de struiken.

'Sigge! Kom hier!' Birger roept en fluit naar hem.

Normaal gesproken komt Sigge aanrennen alsof hij door een kanon is afgeschoten als Birger hem roept, maar dit keer niet. Er is geen geluid te horen. Sigge is weg.

Plotseling is er dus inderdaad iets engs gebeurd. Terwijl ze daar geen van allen in geloofden.

Birger wijst naar het eiland, waar de rook nog steeds opstijgt. 'Ruiken jullie dat? Ik ruik gegrilde worstjes. Ik durf er wat onder te verwedden dat Sigge is waar de worstjes zijn.'

'Ik ga naar huis.' Isminni trekt Jonna met zich mee naar het pad en Fanny loopt achter hen aan.

'Gaan jullie maar,' knikt Birger. 'Nick en ik blijven hier om Sigge te zoeken.'

Voordat ze weggaan, geeft Jonna hem het luciferdoosje. 'Je moet dit lezen,' zegt ze.

'Straks.' Birger stopt het doosje in zijn zak. Zijn gezicht staat strak. Birger is van streek.

Dat zijn ze allemaal. Want Sigge is weg.

Als ze van de heuvel komen, blijven Jonna, Fanny en

Isminni nog even voor de supermarkt staan.

De winkel gaat pas om tien uur dicht, dus het is er licht en er lopen klanten naar binnen en naar buiten. Dat geeft een veilig en vertrouwd gevoel. En ze hebben veilige, vertrouwde dingen nodig om hun ongerustheid over Sigge te verjagen.

Stel je voor dat de misdadigers hem te pakken hebben? Ze durven er niet over te praten. Het is te erg.

'Spreken we morgenochtend hier af?' vraagt Jonna.

'Ja, dat doen we,' zeggen Fanny en Isminni tegelijkertijd.

Ze omhelzen elkaar. Daarna gaan ze allemaal een andere kant op.

Mama en papa kijken naar het nieuws. Het huis ruikt naar koffie en zelfgebakken cake.

Jonna trekt haar modderige sportschoenen voor de deur uit. Ze zet ze op een oude krant bij de schoenenplank.

O ja, ze wilde bosanemonen voor Frida plukken... Helemaal vergeten. Dan moet ze het morgen maar doen.

Jonna roept hallo tegen mama en papa en kijkt bliksemsnel in de spiegel. Haar ogen glanzen, haar wangen gloeien.

Het is misschien beter als ze niet naar de zitkamer gaat. Soms zijn ouders net detectives: ze hebben dingen in de gaten die ze helemaal niet moeten zien.

Jonna gaat bij de deuropening staan en probeert haar stem heel gewoon te laten klinken. 'Ik ga naar bed,' zegt ze overdreven gapend. 'Ik ben hartstikke moe.'

'Was het leuk?' vraagt mama.

Er zijn twee antwoorden op die vraag, denkt Jonna. Ja en nee. 'Ja,' antwoordt ze.

Ze poetst haar tanden, wast haar gezicht en trekt haar nachthemd aan. Het is heerlijk om in bed te kruipen, onder het luchtige, roze dekbed. En haar kussen is lekker koel.

Ze denkt na over wat ze aan Milan zal schrijven. Dan pakt ze papier en een pen.

Hallo Milan!

Hier komt een fax uit Groendal.
Er is hier zo veel aan de hand dat ik bijna geen tijd heb om je te missen.
Er gebeuren rare dingen bij Lindholmen. Ik kan geen details opschrijven omdat iemand deze brief misschien leest. Maar ik kan wel zeggen dat het gevaarlijk is. En Sigge is verdwenen!!! Birger en Nick zijn hem aan het zoeken.
Veel plezier in Gambia.
Ik moet je de groeten van iedereen doen!

Jonna

Ze sluipt papa's werkkamer binnen, stopt het papier in de fax en drukt op de knop. Het is een wonderlijk idee dat haar woorden nu op weg zijn naar een kantoor in Gambia, ergens in Afrika.

Jonna kan zich niet goed voorstellen hoe het er daar uitziet. Ze vraagt zich af of het op het kantoor van papa lijkt. Dat moet ze aan Milan vragen als hij weer thuiskomt.

Als hij thuiskomt.

Jonna krijgt ineens spijt. Maar het is te laat. Waarom heeft ze zo weinig geschreven? Misschien had ze moeten vertellen wat ze echt voelt. Misschien had ze moeten schrijven dat ze hem mist. En hoeveel hij voor haar betekent.

Dat was beter geweest. Dan had hij waarschijnlijk nog meer heimwee gekregen.

Jonna kruipt in bed en draait zich naar de muur. Ze knijpt haar ogen dicht.

Dan gaat haar mobiel.

Wat een geluk dat ze hem niet heeft uitgezet, want het is Birger.

'We hebben de kleine veelvraat te pakken,' lacht hij. 'Hij is naar het eiland gezwommen en heeft worst gegeten. Daarna kwam hij terug naar zijn baasje, nat maar tevreden. Die misdadigers houden in elk geval van honden.'

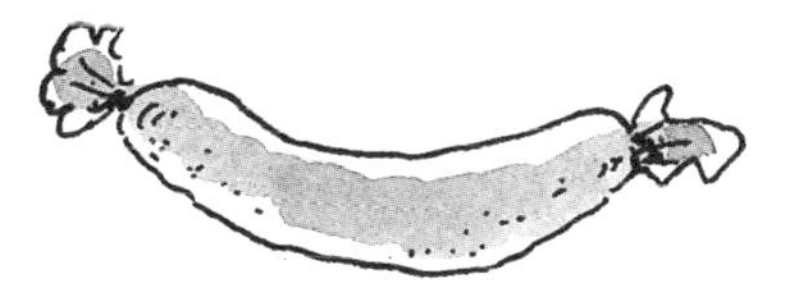

7

Vrijdagavond zonder Milan

De vogels kwetteren achter het raam, dat op een kier staat. De zon stroomt langs de randen van de rolgordijnen naar binnen. Jonna gaat kaarsrecht in bed zitten. Hoe laat is het eigenlijk?

Negen uur! Dan heeft ze zich verslapen. Ze heeft gisteravond vast vergeten haar wekker te zetten.

Jonna haast zich naar de keuken. Die is leeg. Papa en mama zijn al weg. Natuurlijk, nu weet ze het weer. Ze moesten vanochtend heel vroeg in het gezondheidscentrum zijn.

Typisch.

Jonna rent naar de badkamer, gooit koud water in haar gezicht, trekt haar kleren aan, stapt in haar sportschoenen, pakt haar jas en doet de deur achter zich op slot.

De supermarkt is al open. De caissières zitten achter hun kassa's en gapen om het hardst. Een oude man strompelt langzaam door de glazen deuren naar binnen. Bij de tramhalte staan een paar mensen te wachten. Jonna ziet op de klok dat het kwart over negen is.

Ze haast zich de trap op en rent langs de Zeehondenweg. Buiten adem gooit ze de deur van haar klaslokaal open. Er is niemand.

Wat een sukkel is ze! Ze is vergeten dat ze vanochtend naar het muziekmuseum gingen om instrumenten te bekijken.

Jonna laat zich vallen op de bank in de gang. Ze kan er nu toch niets meer aan veranderen. Ze kan net zo goed wachten tot het pauze is en de anderen terugkomen. Ze loopt het klaslokaal binnen en pakt een boek uit de kast.

Het wordt een heel rare dag. Dat gebeurt soms als je je verslaapt.

Na school gaat Jonna naar huis om te douchen, omdat ze zich die ochtend niet goed gewassen heeft. Daarna pakt ze een roze bloes en een spijkerbroek. Vanavond hebben ze afgesproken bij Nick thuis.

Jonna, Milan, Fanny, Nick, Birger en Ismini spreken op vrijdagavond vaak met elkaar af. Dat is leuker dan allemaal alleen thuis zitten en televisie kijken.

Dit keer is het bij Nick thuis. Zijn ouders gaan uit, dus hebben ze het huis voor zich alleen. Toch wordt het niet zo'n gezellige avond. Milan is er tenslotte niet. En ze zetten geen muziek op om op te dansen, zoals ze anders altijd doen.

Ze zijn allemaal zenuwachtig, praten door elkaar en proppen handenvol popcorn en chips in hun mond. Isminni zit als een gek te kauwen. Je ziet aan haar dat ze zenuwachtig is.

Vanavond gaan Birger en Nick naar de dynamietfabriek om de misdadigers te ontmoeten. Birger is ervan overtuigd dat hij zijn verrekijker terugkrijgt. 'Als ze ons daarna maar laten gaan,' zegt hij.

Isminni's gezicht wordt lijkbleek, maar Birger heeft het uitstekend naar zijn zin. Het is duidelijk dat hij het leuk vindt om de anderen bang te maken.

In Nicks kamer is het altijd een enorme bende. Overal liggen spullen, lege cd-hoesjes, computerspelletjes, pennen, papier, boeken, kleren... en zijn bed is niet opgemaakt.

Isminni kijkt om zich heen en trekt haar neus op. 'Fanny, jij houdt ook niet van opruimen. Hoe doen jullie dat als jullie volwassen zijn en gaan samenwonen? Jullie huis ziet er straks uit alsof er een bom is ontploft.'

'O o o,' lacht Birger. 'Een vrouw die niet voor haar man kan zorgen, is geen echte vrouw.'

'Idioot,' sist Fanny. 'Jouw moeder heeft je écht verwend; jij kunt niet eens zelf een boterham smeren.'

'Jullie moeten het samen doen,' zegt Jonna. 'Dat doen mijn ouders ook.' Ze propt een handvol chips in haar mond en drinkt cola. Ze kijkt jaloers naar de anderen.

Birger en Isminni, en Fanny en Nick zitten dicht naast elkaar. Isminni is het ergst. Ze laat Birger geen minuut met rust. Ze knijpt in zijn oor en kietelt onder zijn kin. Allemaal om wat aandacht te krijgen.

Jonna voelt zich hopeloos eenzaam en in de steek gelaten.

Gelukkig is Sigge er. Hij legt zijn kop in haar schoot.

'Wat fijn dat hij weer terug is,' verzucht ze.

'Honden hebben maar één ding in hun hoofd,' lacht Birger. 'Eten.'

'Net als jij dus,' knikt Fanny.

'We weten in elk geval wat die misdadigers gisteravond hebben gegeten,' grijnst Nick. 'Gegrilde worstjes.'

Birger haalt het luciferdoosje uit zijn zak. Hij leest de boodschap hardop voor. 'Morgen om tien uur in de dynamietfabriek. V.M.' Hij kijkt op zijn horloge. 'Over een uur vertrekken we. Meiden, jullie kunnen beter hier blijven met Sigge. Ik wil niet dat hij nog een keer verdwijnt.'

'Hoezo?' Fanny fronst haar wenkbrauwen. 'Ik wil ook mee.'

'Ik vraag me af wat V.M. betekent,' peinst Jonna.

'Verdachte mensen,' zegt Isminni bliksemsnel.

Ze barsten allemaal in lachen uit. Het komt zo onverwacht. Isminni zegt bijna nooit iets grappigs.

Daarna wordt het weer stil.

In Isminni's mond kraken de chips.

Fanny staart voor zich uit.

De jongens gluren naar de klok.

Om vijf voor halftien trekken Birger, Nick en Fanny hun

jas aan. Nick controleert de batterij van zijn zaklamp en zegt dat het tijd is om te gaan.

'Veel succes,' wenst Jonna. 'Als Milan hier was geweest, ging ik ook mee.'

'We hadden hem nu goed kunnen gebruiken,' zegt Birger ernstig.

Jonna krijgt tranen in haar ogen. Ze draait aan de gouden ring met het blauwe steentje, die ze van Milan heeft gekregen.

Als de buitendeur dichtslaat, kan ze het niet langer binnenhouden. Ze moet er gewoon over praten. Ze heeft twee keuzes. Een hond en een mens. Sigge is in slaap gevallen, dus wordt het Isminni.

8

Een baby

Als Jonna begint te praten, kan ze niet meer stoppen. Het is alsof de kurk uit de fles is getrokken. Ze vertelt Isminni alles. Hoe naar het is dat ze niet weet of Milan terugkomt en dat ze bang is dat hij bij zijn vader blijft.

'Natuurlijk blijft hij daar niet,' zegt Isminni vol overtuiging. 'Hij zit toch op school. Er zijn geen scholen in Afrika.'

'Wel waar!' Jonna weet het bijna zeker. Ze zal het Milan in haar volgende fax vragen.

Isminni drinkt cola en draait een haarstreng tussen haar vingers. 'Met mij is het anders. Ik heb écht een reden om me zorgen te maken.'

'O ja?' Jonna staart haar verbaasd aan.

'Kijk.' Isminni trekt haar trui omhoog en zet haar buik uit. Ze knijpt een beetje in het vel rond haar middel. 'Zie je niet dat ik dik ben geworden? Ik lijk wel een pad!'

Jonna snapt er niets van. Isminni is het mooiste meisje van heel Groendal. Ze is net een fotomodel.

'Je bent helemaal niet dik,' protesteert ze.

'O nee?' snuift Isminni. 'Dat moet jij zeggen, jij bent veel slanker dan ik.'

Jonna is inderdaad slank. Maar Fanny is nog slanker, bijna hoekig. En Fanny wil er graag uitzien als Isminni. Fanny heeft nog niet eens borsten.

'Slanke meisjes weten niet hoe vervelend het is om dik te zijn. Maar het heeft geen zin om erover te praten.' Isminni is boos.

En dan heeft Jonna geen zin meer om te blijven. 'Ik denk dat ik naar huis ga,' zegt ze. 'Bel je straks, als de anderen terug zijn?'

Thuis staat zoals gewoonlijk de televisie aan. Ze hoort hem al in de hal. Voordat Jonna naar de zitkamer gaat, controleert ze of er een fax is gekomen. Maar er is niks.

Haar vader en moeder zitten dicht naast elkaar op de bank en kijken naar een film. Ze hebben hun nachtkleding al aan.

'We zijn een beetje moe,' zegt mama gapend. 'Maar we hebben op jou gewacht.'

Er staat cake op de salontafel. Jonna gaat zitten en neemt een plak. Ze heeft besloten om met papa en mama over Milan te praten.

Maar mama is haar voor. Ze pakt Jonna's hand in de hare. 'Meisje,' begint ze. 'Papa en ik hebben je iets belangrijks te vertellen.' Mama krijgt vreemd rode wangen als ze dat zegt.

'Je krijgt een zusje of een broertje.' Ze glimlacht gelukkig.

Ook papa ziet er belachelijk blij uit. Als hij een haan was, begon hij nu te kraaien.

Jonna heeft het gevoel alsof iemand een emmer ijskoud water over haar heen heeft gegooid. Ze ziet haar ouders ineens met andere ogen.

Wat hebben ze eigenlijk gezegd? Hebben ze een broertje of een zusje voor haar gepland zonder het eerst aan haar te vragen? Alsof Jonna er niets mee te maken heeft? Alsof het haar helemaal niet aangaat?

Er stroomt geen geluksgevoel door haar heen omdat ze een grote zus wordt. In plaats daarvan vlamt er boosheid in haar op. Ze dacht nog wel dat ze niemand zo goed kende als papa en mama. Papa, met zijn oude, geruite badjas en zijn verwarde, grijze haren. En mama, met een gezicht dat glimt van de nachtcrème, in haar gele pyjama en haar blonde haren in piekjes rechtop.

Ze zien eruit zoals altijd, maar toch zijn ze anders. Hoe durven ze er zo idioot gelukkig uit te zien? Terwijl Jonna verdrietig is en wil praten.

Maar haar ouders zijn natuurlijk helemaal niet geïnteresseerd in haar problemen. Ze zijn nog voordat de baby er is al belachelijk gelukkig.

Jonna trekt haar hand uit die van mama. Plotseling heeft ze zin om iets stuk te slaan. Om iets te pakken en dat op de grond te smijten. Dat doet ze niet. In plaats daarvan staat ze stijfjes op. 'Ik ga naar bed. Welterusten.'

Op het moment dat mama zachtjes op de deur klopt en vraagt of ze binnen mag komen, gaat haar mobiel.

'Ik heb geen tijd!' roept Jonna.

Het is Fanny. Ze is terug van de dynamietfabriek.

Jonna's hart begint te bonken van de spanning. 'Hoe ging het?' Haar stem is niet meer dan een fluistering.

Fanny giechelt. 'We zijn uitgenodigd om morgenmiddag thee te komen drinken. We zijn van harte welkom in Villa Moonlight.'

Jonna begrijpt er niets van.

En dan kan Fanny het niet meer voor zich houden. Ze vertelt dat het meisje met het leren jack en de jongens die in de kano zaten, bij de dynamietfabriek op hen wachtten. Het meisje heet Sally en de jongens Daan en Joachim. Sally en Daan zijn broer en zus; Joachim is een vriend. Ze zijn van huis weggelopen. Eerst wilden ze op Lindholmen wonen, maar daar was het veel te koud. Daarom slapen ze nu in Villa Moonlight. Zo noemen ze het. Het is een opslagruimte in de berg, bij de explosiekelders. De verrekijker hadden ze voor de grap meegenomen.

Als Jonna in het donker ligt, tuimelen de gedachten in haar hoofd rond.

Villa Moonlight. V.M.

Jonna weet niet wat ze ervan moet denken. Het lijkt haar zo erg om van huis weg te lopen, om ervoor te kiezen om dakloos te zijn. Daarom hebben ze de verrekijker natuurlijk meegenomen, denkt ze. Omdat ze zich eenzaam voelden.

Omdat ze een beetje contact wilden.

De heftige woede van daarnet verdwijnt. Ze is nog steeds boos op papa en mama, maar het is toch fijn om ze te hebben.

Er wordt weer op de deur geklopt.

'Mag ik binnenkomen?' vraagt mama. Ze opent de deur op een kier.

'We praten er morgen wel over,' antwoordt Jonna.

Mama knikt. 'Vergeet niet dat we van je houden, papa en ik,' zegt ze zachtjes. Dan doet ze de deur weer dicht.

9

Een pagekapsel

Jonna en mama zitten tegenover elkaar in de metro. Ze zijn op weg naar de stad. Mama heeft voor hen allebei een afspraak bij de kapper gemaakt, anders was Jonna niet meegegaan. Dan was ze meteen naar Fanny gegaan. Nu moet ze tot vanavond wachten.

Als ze van tevoren maar niet sterft van nieuwsgierigheid. Ze wil alles horen over Sally en de twee jongens. Stel je voor, vanavond ontmoet Jonna hen. Ze vraagt zich af hoe dat zal zijn.

Mama staart uit het raam in de donkere tunnel. Haar rechterhand ligt op haar buik. Het is Jonna nog niet eerder opgevallen, maar haar buik puilt uit. Daarbinnen groeit een mensje.

Toen Jonna hoorde dat Milan een broertje en een zusje in Gambia had, werd ze bijna jaloers. Maar nu ze zelf een broertje of een zusje krijgt, is het lang zo leuk niet meer. Ze wil helemaal geen krijsende baby in huis.

Jonna ziet een gerimpelde, roze baby met grote luiers voor zich. Ze vraagt zich af of het een zusje of een broertje wordt. Diep vanbinnen kriebelt het. Misschien is het toch wel leuk? Jonna duwt die gedachte weg.

Ze heeft zin om de hele dag chagrijnig en dwars tegen mama te doen, maar dat is een beetje lastig omdat ze heel graag geknipt wil worden. Jonna gaat voor het eerst naar een echte kapsalon. Niet gewoon naar de kapster in Groendal, waar Frida en de andere vrouwen hun haren laten permanenten en waar Jonna's haren elk jaar worden bijgepunt.

Eindelijk zijn haar haren lang. Maar het wordt toch nooit zo mooi als Isminni's donkere, dikke, glanzende haren. Jonna heeft dun, blond babyhaar.

Daar is het weer. Een baby. Ze krijgt een broertje of een zusje. Het is een gek idee.

Ze stappen uit bij het Centraal Station en nemen de trap naar het grote plein. Er zijn veel mensen. Een groepje daklozen met blauwrode neuzen en kapotte schoenen hangt bij de trap rond. Als ze met elkaar praten, is het net alsof ze ruzie hebben. Er staan volgepropte, smerige plastic zakken om hen heen. Jonna kan het niet laten om te staren.

Een vrouw zonder tanden houdt een kromme sigaret omhoog en schreeuwt: 'Gezegend de sigaretten in Jezus' naam!'

Mama trekt aan Jonna's arm.

Jonna vindt de zwervers zielig. Stel je voor dat je geen

huis hebt. Dat moet het ergste zijn wat iemand kan gebeuren. Ze vraagt zich af waar ze de hele winter slapen. Op smerige toiletten en in armoedige kelders?

Jonna denkt aan Sally en de twee jongens. Die zijn ook zielig.

'Kom, op naar de Koningsstraat,' zegt mama.

De kapper heet Rob. Hij heeft vuurrood stekeltjeshaar en brede, zilveren ringen aan zijn vingers. Hij praat op een aparte manier. Met een lichte stem, alsof hij een meisje is.

De kapsalon heeft kale, witte muren, een glanzende, marmeren vloer en spiegels met dikke, zilveren randen. Er klinkt muziek uit de boxen.

'Ga zitten, Camilla,' zegt Rob tegen mama.

Intussen kijkt Jonna naar de andere klanten. Sommige zijn hartstikke mooi, zoals het meisje met het blonde pagekapsel. Ze ziet er gaaf uit. Ze draagt een strakke spijkerrok en een mooie trui met een glitterpatroon erop. Zo wil Jonna er ook uitzien.

Mama's haar is korter geknipt. Het zit in pieken rond haar gezicht. Jonna vindt dat ze er veel jonger uitziet. Haar ogen lijken groter en haar wangen ronder. Eigenlijk is ze hartstikke mooi.

Dan is het Jonna's beurt.

Rob slaat een zwarte cape om haar heen en begint aan haar haren te plukken. 'Het is gespleten,' zegt hij ontevreden. 'Het moet eraf.'

'Ik wil een pagekapsel,' floept Jonna eruit.

'Dat kan, maar eerst moet het gewassen worden.'

Jonna gaat bij de wastafel zitten. Ze buigt haar hoofd achterover en doet haar ogen dicht.

Daarna maakt Rob haar haren nat. 'Is het te warm?' vraagt hij.

'Nee,' antwoordt Jonna.

Het is lekker. Ze geniet ervan als Rob de shampoo in haar haren masseert. Hij wrijft heel lang met zijn vingers over haar schedel. Er loopt een warme tinteling vanaf Jonna's nek tot helemaal in haar vingertoppen. Ze kan zo de hele dag wel blijven zitten.

Rob spoelt het schuim eruit en wrijft crèmespoeling met een bloemengeur in het haar. Dan neemt hij Jonna mee terug naar de kappersstoel.

Het gaat bliksemsnel. Binnen een kwartier heeft Rob haar haren afgeknipt.

Jonna gluurt naar de vloer. Daar liggen haar haren nu als oud vuil.

Rob wrijft een dot mousse in het haar en begint te kammen en te föhnen. Hij is geconcentreerd bezig. Alsof hij een kunstwerk creëert in plaats van een gewoon pagekapsel.

Het wordt korter dan Jonna had gedacht. Haar pony komt nauwelijks tot haar wenkbrauwen en het kapsel stopt bij haar oorlelletjes. Jonna is er niet tevreden over, maar ze knikt en doet net alsof ze die geföhnde bol langs haar wangen mooi vindt.

Rob houdt trots een spiegel achter haar hoofd, zodat Jonna de verschrikking van alle kanten kan bekijken.

Mama moet meer dan duizend kronen betalen. Het briefje van vijftig dat ze als wisselgeld terugkrijgt, geeft ze aan Jonna. 'Extra zakgeld,' zegt ze.

'Dank je.' Jonna stopt het in haar zak.

Zodra ze op straat komen, barst Jonna los. 'Ik haat dit kapsel!' roept ze uit.

'Je bent nog wel zo mooi,' zegt mama. 'Een echt modern meisje.'

Jonna vindt het belachelijk klinken. Mama is hopeloos ouderwets.

Bij H&M kiest Jonna de duurste jas, een rode broek en een bijpassende trui. Voordat haar moeder betaalt, gaan ze nog even naar de babyafdeling.

Mama zoekt tussen de zachte, piepkleine matrozenpakjes en jurkjes op roze hangers met strikken en kant.

Jonna kijk naar de andere zwangere vrouwen die tussen de rekken met babykleren rondlopen. Ze hebben enorme buiken en geheimzinnige glimlachjes. Waarom lachen ze de hele tijd? En waarom houden ze een hand op hun buik? Het ziet er nogal raar uit.

Jonna kijk naar mama. Inderdaad, zij lacht ook. En ze houdt haar linkerhand tegen haar buik gedrukt. Zwangere vrouwen hebben duidelijk maar één ding in hun hoofd.

Baby's.

‘Vind je dit niet schattig?’ Mama houdt een kuikengeel trappelpakje met bijpassend mutsje omhoog. ‘Dit kan voor een jongen en een meisje.’

Jonna vindt het ook mooi. Maar dat laat ze niet merken.

Mama koopt niets voor de baby. Voordat ze weggaan, gaat ze in de lange rij voor de kassa staan en betaalt Jonna’s nieuwe kleren.

10

Twee zwanen

Voordat Jonna en mama naar huis gaan, lopen ze naar het cultureel centrum. Helemaal bovenin, in café Panorama, gaan ze wat drinken. Je hebt daar een fantastisch uitzicht.

Meestal vindt Jonna het geweldig om bij de grote ramen te zitten en uit te kijken over het centrum van Stockholm. Maar vandaag niet. De glassculpturen in de fontein op het Sergelsplein zijn grijs van het vuil. De flatgebouwen op het Hoogplein zetten zich schrap tegen de harde wind.

Zonder een woord te zeggen eet Jonna een broodje met tomaat en mozzarella. Daarna gaat ze naar het toilet. Ze gaat voor de spiegel staan, maakt haar handen nat en duwt haar haren net zolang naar beneden tot ze helemaal plat blijven zitten.

Dan loopt ze terug naar hun tafeltje en gaat weer zitten. Ze lacht triomfantelijk.

Mama kijkt haar een hele tijd aan en zucht een beetje. 'Zullen we nu over de baby praten?' vraagt ze voorzichtig.

Dat wil Jonna niet. Niet als mama die verdrietige blik in haar ogen heeft. Jonna wordt er plotseling boos om. 'Hoe oud zijn jij en papa eigenlijk?' sist ze.

Mama lacht verbaasd. 'Je weet toch dat ik tweeënveertig ben? En Kjell is zevenenveertig.'

'Is dat niet een beetje oud voor een baby?' gaat Jonna verder. 'Dan ben je bijna vijftig als het kind naar school gaat. De stakker. Niemand wil toch zo'n oude moeder hebben.'

'Papa en ik wilden al heel lang een baby,' vertelt mama. 'Maar tot nu toe is het niet gelukt. We zijn er ontzettend blij mee.'

Plotseling begint Jonna's kin te trillen. Ze weet niet waarom. Misschien omdat ze plotseling iets beseft.

Dáárom heeft mama een baan in Kista genomen in plaats van overal naartoe te reizen en op verschillende plekken te werken. Dat is voor de baby. En Jonna dacht nog wel dat het voor haar was.

'Het wordt vast leuk,' zegt mama. 'Je mag me helpen. Knuffelen, luiers verschonen, met de kinderwagen rijden.'

Mama denkt zeker dat Jonna daarnaar uitkijkt. 'Je mag lekker zelf voor je baby zorgen,' mompelt ze.

Mama zucht gelaten. 'Als je klaar bent, gaan we naar huis.'

Jonna zwaait geïrriteerd met de H&M-tas heen en weer als ze het korte stukje van het metrostation naar hun huis in Groendal lopen.

De wolken zijn eindelijk weggewaaid, de zon schijnt en

mama is irritant vrolijk. 'Kijk eens wat mooi!' roept ze uit.

Het Trekantenmeer glinstert als een diamant.

Jonna geeft geen antwoord. Ze ziet alleen de twee zwanen in het midden van het meer. Ze strekken hun halzen naar elkaar uit, alsof ze elkaar liefkozen.

Ze zeggen dat zwanen hun hele leven bij elkaar blijven.

Dan denkt ze aan Milan.

Jonna treuzelt in het trappenhuis tot mama naar binnen is gegaan en de deur dicht heeft gedaan. Dan belt ze bij Frida aan. Ze heeft tegen mama gezegd dat ze haar nieuwe kapsel wil laten zien, maar eigenlijk wil ze het verschrikkelijke nieuws vertellen. Dat ze over een paar maanden voor een krijsende baby moet zorgen.

Maar Frida vindt het helemaal niet erg voor Jonna. Ze spert haar kraalogen open en houdt haar armen open voor een knuffel. 'De wonderen zijn de wereld nog niet uit! Wat fantastisch,' roept ze. 'Dat kindje krijgt de beste grote zus ter wereld. Je moet het meteen vertellen als het geboren is! En nu ga ik naar binnen om naar het weerbericht te luisteren. Rudolf en ik gaan wandelen met de rollator.'

'Tot ziens,' zegt Jonna beteuterd en ze gaat naar huis.

Thuis vind Jonna een fax op haar bed. Ze ziet hem meteen, want papa heeft hem midden op haar kussen gelegd.

Jonna frunnikt aan het papier. Ze durft nauwelijks te lezen. Misschien schrijft Milan dat hij bij zijn vader blijft.

Ten slotte lees ze de fax toch. Ze ziet maar één zin:

Ik wil hartstikke graag naar huis.

Jonna wist niet dat je zowat kunt ontploffen van geluk. Ze laat zich op haar bed vallen en verslindt de brief.

Hallo Jonna,

Hier komen zonnige groeten uit Gambia.
Ha ha ha, wat ben je toch grappig. Natuurlijk mis je me. Anders zou je niet schrijven. Ik mis jou ook. Maar toch heb ik het naar mijn zin bij mijn vader. Ik heb hem eigenlijk nooit gekend en dat wilde ik graag. Het is best raar. We hebben elkaar voor het laatst gezien toen ik nog klein was, maar we lijken veel op elkaar. We lachen om precies dezelfde grappen. Denk je dat humor erfelijk is? Oom Baba vindt dat ik best goed kan trommelen.
Als jij hier was, was alles nog veel leuker!!! Wat gebeurt er allemaal in Groendal? Het klinkt niet normaal! Sigge is toch wel teruggekomen? Ik wil hartstikke graag naar huis. Stel je voor dat je op twee plekken tegelijkertijd kunt zijn. Dat zou geweldig zijn! Je moet snel weer schrijven.

xxx

Milan

PS: I love you

Jonna schrijft zo snel dat de letters het niet bijhouden. Ze gumt zinnen uit en schrijft ze een paar keer opnieuw voordat ze tevreden is.

Hallo Milan!

Sorry dat ik de vorige keer zo weinig heb geschreven. Ik ben gewoon heel erg bang dat je in Gambia blijft. Je zei dat je dat misschien wilde. Alles is oersaai als jij er niet bent.
Nu vertel ik meer over het mysterie van Groendal. Sigge is weer bij Birger. Hij ging ervandoor toen hij rook dat er op het eiland worstjes werden gegrild. Je weet hoe hij is als het om eten gaat. Hij heeft er alles voor over om aan worst te komen. Straks gaan we naar een plek die Villa Moonlight heet. Daar hebben we afgesproken met een meisje en twee jongens. Ze zijn van huis weggelopen.
Ik schrijf je zo snel mogelijk weer. Misschien vandaag al.
Ik mis je heel erg!!! En ik krijg een zusje of een broertje. De volgende keer mag je niet weggaan zonder mij.

Miljoenen kussen van Jonna

PS: I love you too.

PS PS: Isminni denkt dat er geen scholen in Gambia zijn. Maar die zijn er toch wel?

Pas als Jonna haar haren heeft gewassen en laten drogen is ze tevreden. Haar pagekapsel is eigenlijk best mooi nu er geen mousse in zit en het niet geföhnd is. Haar haren zijn dikker dan toen het lang was. Ze lijkt ouder, en dat is goed.

Papa heeft een film gehuurd. Daar gaan ze vanavond samen naar kijken. Mama kookt extra lekker. Ze maakt zalmbiefstuk met gekookte aardappelen en hollandaisesaus. En aardbeien met slagroom als toetje.

Maar eerst gaat Jonna weg. Ze vertelt niet dat ze naar Villa Moonlight gaat, maar ze belooft dat ze om zeven uur thuis is.

11

Villa Moonlight

Jonna, Fanny, Isminni, Birger, Sigge en Nick staan bij de dynamietfabriek voor een ijzeren deur. Die staat vol met graffiti van gezichten met getuite lippen. Daarnaast staan in groene verf de letters *V.M.*

Birger klopt drie keer en duwt de deur daarna net zo vanzelfsprekend open alsof hij er zelf woont.

Sigge rent het eerst naar binnen. Het vriendengroepje volgt snel en Birger doet de deur meteen achter hen dicht. Niemand mag zien dat hier iemand woont.

Jonna heeft geen idee wat voor ruimte het is. Omdat hij naast de explosiekelders ligt, is het waarschijnlijk een opslagplaats. Misschien werd hier vroeger dynamiet opgeslagen.

Eerst ziet Jonna niets. De ruimte heeft geen ramen. Het enige licht komt van drie waxinelichtjes die op een klein, wankel tafeltje staan. Plotseling begint Jonna te klappertanden. Ze weet niet of het van kou of van angst is, of misschien van allebei.

Dan ziet ze Sally. Ze ziet er net zo uit als Jonna zich herinnert. Knap en tenger, met groene, verdrietige ogen.

Sally loopt naar Jonna toe en zegt haar gedag. Jonna voelt zich onmiddellijk weer veilig, want Sally kijkt heel vriendelijk.

Daan en Joachim zeggen ook gedag. Jonna vindt ze meteen aardig. Hun gezichten zitten vol rode puistjes. Ze lachen en maken grapjes, maar Jonna ziet ook hun gebogen ruggen en dat ze hun handen in hun broekzakken stoppen. Ze zien er een beetje verloren uit.

'Ga zitten,' zegt Joachim met overslaande stem.

Er staan twee stoelen zonder poten.

Birger en Isminni persen zich in één stoel, Daan en Joachim in de andere. Jonna gaat met Sally, Nick en Fanny boven op een paar slaapzakken op de grond zitten.

Niemand weet iets te zeggen.

Ze kijken allemaal dankbaar naar Daan, die met Sigge speelt. Het ziet er gaaf uit. Daan houdt hem stukjes worst voor en Sigge, die altijd honger heeft, blijft net zo lang mooi zitten tot Daan het stuk worst laat vallen. Dan verdwijnt het in een oogwenk in Sigges bek.

Jonna gluurt stiekem naar Sally. Ze kijkt naar de letters V.M. op haar hand, Villa Moonlight, en naar de roze druppel die aan het leren bandje om haar hals hangt. Sally draait hem rond in haar hand. Jonna vraagt zich af van wie ze hem heeft gekregen. Misschien wel van een jongen.

Sally is slank. Ze heeft een gladde, witte huid en een klein, rond moedervlekje op haar linkerwang.

In het schijnsel van de flakkerende waxinelichtjes worden de schaduwen op de muren gigantisch.

Jonna weet niet waarom, maar ze krijgt ineens het vreemde gevoel dat ze voor Sally wil zorgen. Ze wil haar eten en een slaapplaats geven, haar laten douchen en schone kleren aantrekken. Ze wil haar verzorgen alsof ze een klein kind is. Ze wil heel graag haar arm om Sally's schouders slaan, maar ze doet het niet. Sally vindt dat misschien niet prettig. In plaats daarvan blijft Jonna stil zitten en voelt haar nabijheid. Er is iets aan Sally dat ze van zichzelf herkent.

Plotseling begint Sally tegen haar te praten. 'Wat zit je haar mooi.'

'Dank je,' zegt Jonna. 'Het is vandaag geknipt.'

'Ik wil dolgraag mijn haren wassen.' Sally haalt haar vingers door de sprietige paardenstaart.

Dan vraagt Jonna het. 'Hoe lang wonen jullie al zo?'

'Nog maar een paar dagen,' antwoordt Sally aarzelend. 'Eerst zijn Daan en ik naar het huis van Joachim gegaan. Toen zijn moeder genoeg van ons kreeg, zijn we met z'n drieën weggelopen. Joachim heeft er eigenlijk geen reden voor, maar Daan en ik wel.'

Ze aarzelt voordat ze verder gaat. 'Het zit zo.' Sally lacht even. 'Mijn moeder heeft een nieuwe man leren kennen, snap je. Hij woont op het platteland, in een gehucht dat Knärpinge heet. Stel je voor. Nou moeten wij daar ook naartoe, maar al onze vrienden wonen hier.'

'We willen het liefst bij onze vader wonen,' vult Daan aan. 'Maar dat wil hij niet, omdat hij zo vaak werkt. We hadden dus geen keus; we moesten wel weglopen. Hoewel het geen pretje is. Je wilt niet weten hoe het voelt om op beton te slapen. Je hele lichaam wordt stijf.'

'Ik denk dat jullie vader er snel spijt van krijgt,' merkt Isminni op.

'Dat denk ik ook,' zegt Sally overtuigd. 'Hij moet gewoon doorkrijgen hoe belangrijk het voor ons is. Hij is heel aardig, maar het duurt altijd even voordat het kwartje valt.' Haar lach is droog als knäckebröd.

Jonna denkt aan Milan, die eindelijk zijn vader heeft ontmoet. Het is fijn om twee ouders te hebben, een vader en een moeder. Nu begrijpt ze pas goed hoe het voor Milan was om naar Gambia te gaan. Ze is blij voor hem. Hij heeft vast het gevoel dat hij thuisgekomen is.

'Ik krijg een broertje of een zusje,' zegt ze plotseling. Het rolt zomaar uit haar mond, terwijl ze niet eens wist dat ze het wilde vertellen.

'Wat?!' roept Fanny. 'Heb je nog meer geheimen?'

'Geluksvogel,' vindt Sally. 'Baby's zijn het allerleukste wat er is. Ze ruiken altijd zo lekker.'

'Ik heb honger,' zegt Birger. Hij wil duidelijk van gespreksonderwerp veranderen. Hij heeft meer interesse in eten dan in baby's.

'Wil je een stuk worst?' vraagt Joachim. 'Iets anders hebben we niet.'

'Jullie kunnen geld van me krijgen als jullie dat nodig hebben.' Jonna haalt het briefje van vijftig tevoorschijn dat ze van mama heeft gekregen.

'Cool,' lacht Sally. 'Je krijgt het terug, dat beloof ik.'

Ze kaarten en kletsen tot het tijd is om naar huis te gaan.

'Leuk dat jullie zijn geweest,' zegt Daan. 'Komen jullie morgen weer?'

'En neem dan alsjeblieft iets te eten mee!' Joachim wrijft over zijn buik.

'Dat doen we,' belooft Jonna. Het liefst wil ze Sally, Joachim en Daan uitnodigen voor het avondeten, maar dat gaat niet, want dan komen mama en papa achter het geheim.

Daan zet de deur op een kier en kijkt of de kust veilig is. Er lopen vaak honden met hun vrouwtjes en baasjes over het pad. Er is niemand te zien en Daan laat hen naar buiten.

Een voor een stappen ze de werkelijkheid weer in. Jonna heeft het gevoel dat ze even van de wereld vandaan is geweest. Ze ademt de voorjaarslucht diep in.

Ze lopen langzaam naar huis, allemaal verdiept in hun eigen gedachten.

Plotseling ziet Jonna dat alles groen is. Ze heeft het niet eerder gemerkt. Ze was zo in beslag genomen door alles wat er gebeurde. Nu ziet ze dat de bladeren van de berken en espen overal uitlopen. Ook de grond glanst groen. Ze lopen rond in een groene wereld. Het is zo mooi dat ze bijna vergeet adem te halen.

Stel je voor dat alle verdrietige dingen op aarde in groene ballonnen veranderen die een voor een opstijgen naar de lichtblauwe hemel. Stel je voor dat het zo eenvoudig zou zijn... Jonna glimlacht.

'Waar lach je om?' Isminni komt naast Jonna lopen.

'Niets bijzonders,' antwoordt Jonna. Idiote gedachten kun je maar het beste voor je houden.

'Ik kon merken dat Sally je graag mag.' Isminni kijkt onzeker naar Jonna. Ze wil duidelijk nog meer zeggen. 'Wat er gisteren gebeurd is... Ik werd boos omdat ik zenuwachtig was. Omdat Birger en de anderen in moeilijkheden konden komen. Het kwam niet doordat je het niet met me eens was. Dat ik dik ben, bedoel ik. Maar dat ben ik wel. Ik eet te veel chips.'

Jonna glimlacht naar haar. Alles is vergeven. 'Ik hou van iedereen die gestreepte truien draagt,' zegt ze vrolijk.

Isminni draait een rondje voor haar. 'Is dat zo?' lacht ze. 'Ik heb hem zelf gebreid. Het was helemaal niet moeilijk; mama heeft het me geleerd.'

Jonna bedenkt ineens dat Isminni haar kan helpen om een babytruitje te breien. Dat doet ze vast als ze het aan haar vraagt. Jonna heeft Isminni altijd gemogen. Ze is speciaal, met haar regenboogkleurige nagellak en prachtige haren. Meestal is ze lief en vrolijk. Maar soms wordt ze ineens boos en dan blaast ze als een wilde kat. Dat is op de een of andere manier grappig.

Plotseling krijgt Sigge het op zijn heupen. Hij rent als een gek tussen hun benen door.

'Sigge heeft het voorjaar in zijn kop,' grinnikt Birger.

Jonna bukt zich en plukt bosanemonen voor Frida. Het is waarschijnlijk de laatste kans voordat de bloemen zijn uitgebloeid.

Dan niest Birger drie keer achter elkaar. Hij heeft hooikoorts.

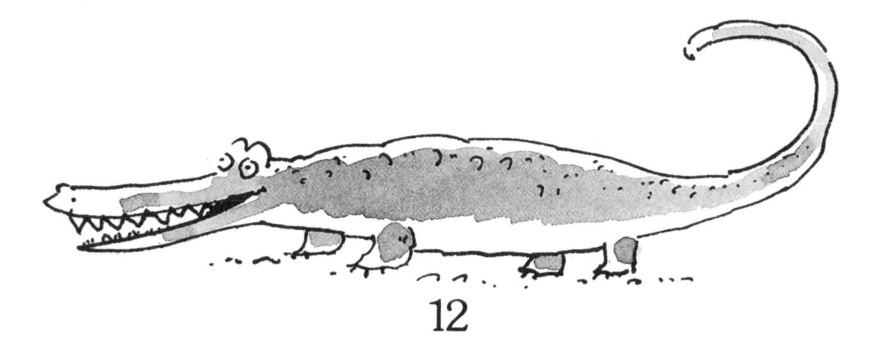

12

Krokodillengroeten

Het avondeten is nog niet klaar als Jonna thuiskomt, maar er ligt een fax van Milan op haar bed. Het is te merken dat hij haar mist, denkt ze tevreden.

Hallo Jonna,

Hier komen gulzige krokodillengroeten uit Gambia! Zal ik je over de krokodil Charlie vertellen? Er is hier een plek die Crocodile Pool heet. Dat is een meertje met krokodillen. Ik ben er met mijn vrienden Modyboy, John, Taffa en Pa naartoe geweest. We hebben een taxi genomen. Die hoop schroot zou in Zweden nooit door de keuring gekomen zijn. De stoelen waren kapot en we zaten op de grond. Het dashboard was weg en alle draden hingen los. En er zat zo weinig lucht in de banden, dat hij op de velgen reed. Mag jij raden of het een prettig ritje was. We hebben de chauffeur wat extra geld gegeven. Ik

zei dat hij zijn auto moest laten repareren. Daar moest hij om lachen. Ze hebben hier humor.
Je moet geld betalen om bij de krokodillen te komen. Het zijn er twintig, kleine en grote. Er is geen hek of zo. Je loopt tussen de krokodillen omdat het een heilige plek is. En juist daarom vallen die krokodillen geen mensen aan. Er gaan zelfs mensen naartoe om hun kinderen te dopen. Dat brengt geluk. De grootste en oudste krokodil heet Charlie. (Ze zeggen dat hij honderd jaar is!) Je kunt hem aaien. Dat heb ik gedaan. Maar daarna zei pa dat Charlie nog niet zo lang geleden een Duitse toerist had gebeten! Het was eng om daaraan te denken.
Natuurlijk zijn hier scholen. Zeg dat maar tegen Isminni. Al mijn vrienden zitten op school.
Ik kan nu niet meer schrijven.

Knuffel van Milan

Jonna's antwoord is kort, maar een paar regels. Over Sally, Joachim en Daan. Waarom ze zijn weggelopen en dat ze in de geheime ruimte bij de explosiekelders wonen.

Dan gaat ze naar Frida en geeft haar de bosanemonen. Frida is er hartstikke blij mee.

Rudolf is er ook. Hij heeft net Frida's haar gewassen. 'Wat fijn dat je er bent,' zegt hij tegen Jonna. 'Je kunt me helpen met krulspelden inrollen. Daar ben ik niet zo goed in.'

Jonna pakt haar mobiel en belt naar huis om te vragen of

het eten klaar is. Mama zegt dat Jonna genoeg tijd heeft om eerst Frida's haar in te rollen.

Jonna heeft het al een paar keer gedaan. Het gaat snel.

Rudolf staat naast haar te kijken. 'Ongelooflijk, wat doe je dat goed,' prijst hij als Jonna klaar is.

Frida knikt. 'Jonna is altijd een prima hulpje geweest.'

Na het heerlijke avondeten gaan ze op de bank zitten om naar de film te kijken. Hij heet *Police Academy*. Het is geen nieuwe film, maar hij is toch leuk. Vooral papa lacht veel.

Mama is met haar gedachten ergens anders, merkt Jonna. Ze droomt waarschijnlijk over de baby. Ze heeft haar benen op de bank gelegd en streelt af en toe over haar buik.

Als ze de helft van de film heeft gezien, begint Jonna zo hard te gapen dat haar kaken ervan kraken.

'Ga lekker naar bed, meisje,' zegt mama.

Jonna wenst haar ouders welterusten. Het is fijn om onder het dekbed te schuiven en haar gezicht in het koele kussen te duwen. Ze probeert zich te herinneren hoe Milan ruikt. Ze denkt er niet aan dat de brief die ze naar Milan heeft gefaxt, nog steeds naast het faxapparaat in papa's werkkamer ligt...

13

Picknick met pannenkoeken

Hoewel het zondag is, heeft Jonna de wekker op zeven uur gezet. Ze doet haar ogen open, weet meteen weer wat ze moet doen en zet haar wekker haastig uit.

Eerst kijkt ze of papa en mama nog slapen. Dan sluipt ze naar de keuken en begint pannenkoekenbeslag te maken. Zo stil mogelijk. Ze pakt meel, melk, eieren en zout. En een beetje boter voor het bakken.

Jonna is eraan gewend om pannenkoeken te bakken. Toen papa en zij alleen thuis waren, aten ze 's avonds vaak pannenkoeken. En alle keren dat ze pizza kochten bij La Perla! Calzone was Jonna's favoriete smaak. Nu eten ze bijna nooit meer pizza.

Jonna lacht. Wat een goed idee om pannenkoeken te bakken. Ze stelt zich voor hoe verrast en blij Sally en de jongens zullen zijn als ze zo'n lekker ontbijt krijgen.

Jonna heeft aan niemand verteld wat ze gaat doen. Dit is haar geheim.

Als Jonna jam en stroop op de pannenkoeken smeert en ze oprolt, hoort ze een klik in de hal. De badkamerdeur!

Jonna houdt haar adem in. Ze hoopt dat papa of mama, wie het ook is, haar niet heeft gehoord en weer naar bed gaat. Ze blijft roerloos staan, maar de baklucht van de pannenkoeken verraadt haar.

Mama steekt haar hoofd om de keukendeur. 'Wat doe je?' vraagt ze slaperig.

'Pannenkoeken bakken,' antwoordt Jonna, alsof het de normaalste zaak van de wereld is om dat op zondagochtend in alle vroegte te doen.

'Hemel, wat een lucht.' Mama knijpt haar neus met haar duim en wijsvinger dicht. 'Je bent zo snel misselijk als je zwanger bent. Dat was ik vergeten.' Ze rent naar de badkamer.

Jonna heeft tijd genoeg om de pannenkoeken in een plastic schaal te leggen en het deksel erop te doen, voordat mama terugkomt.

Mama leunt slap en bleek tegen de deurpost. 'Ik ga weer naar bed,' zegt ze met een zwakke stem. 'Wat ga jij zo vroeg doen?'

'Gewoon, picknicken met wat vrienden,' antwoordt Jonna vaag.

'Wat gezellig,' vindt mama. Het lijkt erop dat ze niet zo goed luistert. Ze houdt haar hand tegen haar voorhoofd als ze naar haar slaapkamer loopt.

Jonna ademt uit.

De picknickmand staat in de grote kledingkast. Voor alle zekerheid doet ze de schaal en een rol keukenpapier in een plastic tas voordat ze alles in de mand legt. Als ze op het punt staat om weg te gaan, denkt ze eraan om iets te drinken mee te nemen. In de koelkast staan twee pakken melk. Die legt ze ook in de mand, samen met vier plastic bekers die ze in een van de keukenkastjes heeft gevonden.

Het regent en het asfalt glanst. Jonna keert haar gezicht naar de hemel. De zachte motregen maakt haar huid nat.

Milan komt snel weer thuis. Jonna is er bijna honderd procent van overtuigd dat hij niet in Afrika blijft. Het is duidelijk dat hij naar Groendal verlangt, ook al heeft hij het naar zijn zin in Gambia.

Oost west, thuis best, zeggen ze. Voor Milan is het op twee plekken 'thuis best'.

Jonna is in een goed humeur, want ze staat op het punt om andere mensen blij te maken. Het kriebelt in haar maag als ze haastig over het wandelpad loopt.

Bij het Trekantenmeer ziet ze Birger aan komen slenteren. Sigge springt om zijn benen heen. Jonna heeft er niet op gerekend dat ze iemand tegenkomt die ze kent. Ze heeft er niet aan gedacht dat honden en hun baasjes altijd vroeg op zijn. Ze had een andere weg moeten nemen. Nu is het te laat.

Wat moet ze doen? Zal ze verklappen wat ze gaat doen? Nee, ze wil het geheimhouden, maar dat zal niet makkelijk zijn.

'Hallo,' zegt Birger verbaasd. 'Wat loop jij hierbuiten te fisoloferen?'

'Filosoferen heet dat,' verbetert Jonna hem.

Birger lacht goedmoedig. Hij kijkt veelbetekenend naar de mand, maar Jonna verraadt niets. En Birger vraagt niet wat erin zit. In plaats daarvan vraagt hij of ze nog iets van Milan heeft gehoord.

Jonna lacht. 'Hij stuurt bijna elke dag een fax.'

'Milan was altijd al een echte meidenversierder,' grinnikt Birger.

Daar schrikt Jonna van. Wat bedoelt hij daarmee? Is er iets wat zij niet weet?

'Daarom had ik vroeger een hekel aan hem,' gaat Birger verder. 'Alle meisjes in de klas waren verliefd op Milan.'

'Is dat zo?' vraagt Jonna onnozel.

'Donkere jongens zien er goed uit,' zegt Birger ruimhartig 'Ik ben dik en bleek als een asperge. Ik was gewoon jaloers op hem. Maar toen ik verkering kreeg met Isminni was dat over.'

Op dat moment komt er een grote vrouwtjesherdershond aanrennen. Sigges staart gaat tekeer als een elektrische mixer. De blijdschap is wederzijds. De honden begroeten elkaar uitgebreid. Ze snuffelen, ruiken, duwen tegen elkaar aan en lopen om elkaar heen.

Birger probeert het hondenfeestje te voorkomen. 'Laat dat, Sigge,' bromt hij. 'Ze is te groot voor je. Hou jij je maar bij dwergpoedels en pekineesjes.'

Dan komt de baas van de herdershond de bocht om. Het is meteen duidelijk dat hij graag praat. 'Goedemorgen, goedemorgen!' Hij doet zijn hond aan de riem en gaat er eens goed voor staan. 'Tessa houdt van borstelige honden,' zegt hij. 'Wat is dit voor ras?'

'Sigge is een vuilnisbakkenras,' legt Birger uit. 'Een beetje poedel, een beetje keeshond, een beetje terriër.'

Dan begint de man honderduit te praten. Hij kletst een heleboel onzin over het weer en de wind en het voorjaar.

Jonna ziet haar kans schoon om ervandoor te gaan. Ze zwaait naar Birger. 'Later!'

De rest van de weg denkt ze eraan dat hij Milan een meidenversierder heeft genoemd. Dat vindt ze helemaal niet prettig.

Als Jonna bij Villa Moonlight aankomt, kijkt ze om zich heen. Niemand mag weten waar ze naartoe gaat.

Ze ziet geen mens. Dat is goed, want op dit tijdstip is het niet veilig door alle honden die uitgelaten moeten worden, en hun baasjes die in sportkleren rondrennen. Haar hart slaat wat sneller als ze op de ijzeren deur klopt.

14

Het leven van een dakloze

Jonna moet een paar keer op de ijzeren deur bonken voordat Daan hem ten slotte op een kier opendoet. Hij vertrekt zijn gezicht door het plotselinge licht.

'Slapen jullie nog?' vraagt Jonna.

'Hoe laat is het?' gaapt Daan.

Jonna kijkt op haar mobiel. 'Tien voor halfnegen. Ik heb ontbijt voor jullie meegenomen.'

Daan spert zijn ogen open. 'Gaaf! Kom binnen.'

Sally en Joachim liggen naast elkaar op de grond. Jonna ziet dat Joachim zijn armen om Sally heen heeft geslagen.

Als Daan de deur dichtdoet, wordt het aardedonker. Het kan net zo goed midden in de nacht zijn. Hij pakt een lucifer en steekt de waxinelichtjes aan. Het duurt niet lang voordat de twee langslapers overeind komen en in hun ogen wrijven.

'Hallo,' groet Sally als ze Jonna ziet. 'Wat leuk dat je er weer bent.'

Jonna laat de mand zien. 'Ik heb pannenkoeken gebakken.'

Jonna heeft in haar hele leven nog nooit zulke hongerige mensen gezien. In een paar minuten zijn de pannenkoeken op en de pakken melk leeg.

Joachim boert hardop. 'Heftig,' zegt hij. 'De lekkerste maaltijd van de hele week.'

'Ik krijg er bijna heimwee van,' voegt Daan eraan toe. 'Normaal eten, dat mis ik het meest.'

Sally laat Jonna zien wat ze vannacht hebben gedaan. Ze zijn buiten geweest en hebben groene takken verzameld, die ze onder de slaapzakken hebben gelegd, zodat ze niet zo hard lagen. Maar het hielp niet echt; het werd voornamelijk bultig.

Ze hebben ook een emmer in het bos gevonden, die ze met water van het Malarenmeer hebben gevuld. Nu kunnen ze zich in elk geval een beetje wassen.

'Echt schoon word je er niet van, hoor.' Sally laat haar vieze handen aan Jonna zien. Haar nagels hebben rouwranden. 'Ik weet niet hoe lang het me lukt om zo te leven,' gaat ze verder. 'Maar als ik straks bij mijn vader woon, zal ik me nog precies herinneren hoe moeilijk het was. Misschien waardeer ik mijn gewone leventje dan meer.'

Jonna knikt. Ze denkt aan haar kamer met het lekkere bed, de zitkamer met de bank en de televisie, papa en mama die in de keuken rondscharrelen. Het is fijn om een thuis en een gezin te hebben. 'Kunnen jullie niet gewoon naar jullie vader gaan?' wil ze weten.

'Misschien wel,' knikt Daan. 'Hij is nu waarschijnlijk aardig murw.'

'Murw?' vraagt Jonna.

'Ja, ik bedoel dat hij nu misschien wel luistert,' verklaart Daan. 'Als mensen ongerust worden, gaan ze luisteren.'

Joachim trekt een gezicht. 'Mijn ouders zijn nooit ongerust. Het interesseert ze niet wat ik doe. Het enige waar ze zich druk om maken, is uitgaan.'

Sally slaat haar armen om hem heen. Ze houdt hem een hele tijd vast. 'Mij interesseert het wel,' zegt ze eenvoudig.

Daan kijkt naar Jonna en knipoogt. 'De ware liefde,' grijnst hij. 'Je verwacht toch niet dat je beste vriend verkering krijgt met je zusje.'

'Je bent gewoon jaloers,' lacht Sally.

Jonna lacht ook. Het is te merken dat ze goede vrienden van elkaar zijn. Dan begint ze onrustig heen en weer te schuiven. Ze wil iets vragen waarmee ze eigenlijk niets te maken heeft. 'Waarom kan die nieuwe vriend van jullie moeder niet gewoon in de stad komen wonen?'

'Hij heeft een benzinestation in Knärpinge en mijn moeder is werkloos, dus gaat ze bij hem werken. Voor mijn moeder is het goed, maar dat is nog geen reden voor Sally en mij om daar te gaan wonen,' legt Daan uit. 'Ik wil de kunstacademie doen als ik van de middelbare school af ben. Dat kan niet op het platteland.' Hij pakt een tekenblok uit zijn rugzak en laat een paar tekeningen zien die hij van

Joachim heeft gemaakt.

Ze zijn goed, het lijken zowat foto's.

'En ik laat voor niets ter wereld Joachim achter.' Sally geeft hem een kus op zijn mond. 'Knärpinge ligt veel te ver weg.'

Heel even lijkt Joachim op Sigge. Zijn ogen worden zacht en als hij een staart zou hebben, had hij ermee gekwispeld.

Dan snijdt er een signaal door de gesloten ruimte. Ze schrikken alle vier op. Het is Jonna's mobiel. Ze neemt op.

Papa's stem klinkt kortaf. 'Waar hang jij uit? Ik wil dat je onmiddellijk thuiskomt. Ik moet iets met je bespreken.'

'Ik kom eraan,' antwoordt Jonna. Ze vertelt niet waar ze is. Ze moet op weg naar huis een smoes bedenken. 'Ik moet gaan,' zegt ze snel tegen Sally. 'Maar morgen kom ik terug.'

'Doe dat,' knikt Sally.

'Nog wat pannenkoeken zou niet gek zijn,' probeert Joachim, met zijn hoofd schuin.

Daan zakt op zijn knieën. 'Alsjeblieft,' smeekt hij.

Jonna begint te lachen. Ze is blij dat haar verrassing een succes is.

Pas als de ijzeren deur achter haar dichtslaat, wordt ze bang. Wat is er met papa? Waarom klonk hij zo raar?

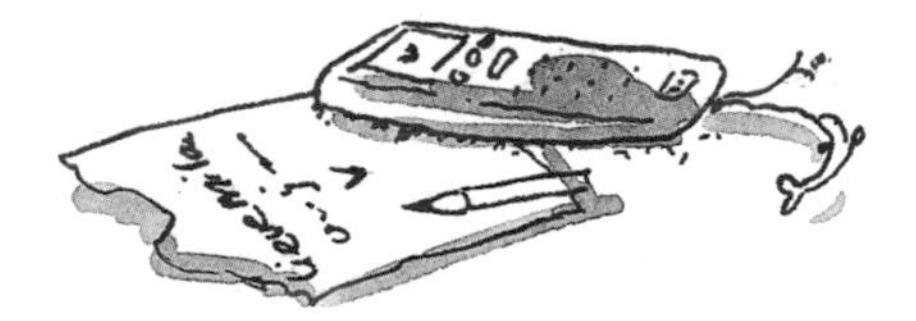

15

Naar het politiebureau

Als Jonna thuiskomt, staat papa in de hal. Zijn voorhoofd zit vol zorgenrimpels. Hij heeft een vel papier in zijn hand. Het ziet eruit als een brief.

Jonna wordt helemaal koud vanbinnen. 'Is er iets met Milan gebeurd?' schreeuwt ze bijna.

Papa schudt zijn hoofd. 'Nee, maar ik ben erachter gekomen dat er geheimzinnige dingen aan de gang zijn. En ik heb het idee dat het ernstig is.'

Jonna gaat op haar hurken zitten en maakt haar schoenveters los. Ze kan papa niet in zijn ogen kijken, want ze weet bijna zeker wat er gaat komen.

'We moeten over die weggelopen kinderen praten,' gaat hij verder. Hij laat het papier zien. Het is de fax voor Milan die Jonna op zijn bureau heeft laten liggen.

Jonna houdt haar adem in, maar plotseling is ze opgelucht. Het is misschien wel goed dat papa het weet. Hij kan Sally en de jongens vast helpen. Snel begint ze te vertellen.

Papa luistert aandachtig. Soms schudt hij zijn hoofd, af en toe knikt hij en één keer zegt hij: 'Arme kinderen.'

Het is fijn om haar ongerustheid met hem te delen. Jonna voelt zich vreemd opgelucht. Natuurlijk heeft ze beloofd om te zwijgen. Maar toch weet Jonna dat het goed is wat ze doet. Sally en de jongens kunnen niet altijd in Villa Moonlight blijven wonen. Er moet een oplossing voor hun probleem komen.

Papa stelt voor om onmiddellijk naar de dynamietfabriek te gaan en met ze te praten.

Als Jonna en papa vlak bij Villa Moonlight zijn, zien ze meteen dat er iets niet klopt. De ijzeren deur staat wijd open. De emmer ligt buiten en de betonnen ruimte is zo goed als leeg. De slaapzakken zijn weg. De opgebrande waxinelichtjes en drie kapotte speelkaarten op de vloer zijn het enige bewijs dat er iemand binnen is geweest.

'Goed,' zegt papa ernstig, 'we moeten naar de politie.'

Als ze weglopen, ziet Jonna een vel papier in de hoek liggen. Het is een tekening. Ze pakt hem op. 'Kijk pap, deze heeft Daan gemaakt. Het is een tekening van Sally.'

'Neem maar mee,' zegt papa. 'Die kunnen we aan de politie laten zien.'

Zodra ze thuis zijn, neemt hij de lift naar hun appartement om de autosleutels te halen.

Jonna blijft op het trottoir staan wachten. Ze bedenkt dat Isminni de hele tijd gelijk heeft gehad. Isminni wilde meteen naar de politie gaan. Het is fijn om het eindelijk te kunnen doen.

Papa parkeert de auto voor het politiebureau in Skärholmen. Ze lopen door de glazen deuren naar binnen. Jonna heeft net zo'n naar gevoel als voor een afspraak bij de tandarts. Alleen het gezoem van de boor ontbreekt.

Achter de balie staat een vrouw in een blauw politie-uniform. Haar blonde haren heeft ze in een paardenstaart gebonden. Ze praat met een man wiens auto is gestolen. De man is verontwaardigd. Hij zwaait met zijn armen en stampt met zijn voeten alsof hij een kind is. De politieagente luistert geduldig. Ze ziet er vriendelijk uit.

Dat vindt Jonna prettig, want ze voelt zich alsof ze vijf jaar is en door papa en mama ter verantwoording wordt geroepen omdat ze iets stoms heeft gedaan.

De lampen aan het plafond zijn zo sterk dat papa's baardstoppels te zien zijn. In de hoek liggen stofvlokken. In deze ruimte kun je onmogelijk liegen, denkt Jonna. Dat merken ze meteen.

Ze gaan op de bank zitten en Jonna leunt tegen papa aan.

Hij streelt haar arm. 'Je zult zien dat het goed komt,' fluistert hij.

Wat bedoelt hij daarmee? denkt Jonna. Kan ze straf krijgen omdat ze iets niet heeft verteld? Ze durft het niet te vragen.

De man van de gestolen auto gaat weg. Dan is het hun beurt. De politieagente roept hen naar de balie.

Papa pakt Jonna's hand en ze lopen naar haar toe. Hij begint het probleem uit te leggen. Het wordt een nogal lang en ingewikkeld verhaal. De politieagente luistert aandachtig. Jonna ziet haar gezicht af en toe verstrakken.

Uiteindelijk knikt de agente vriendelijk naar Jonna. 'We zullen alles nog eens vanaf het begin doornemen,' zegt ze en ze gaat achter een computer zitten. Af en toe onderbreekt ze papa om een vraag aan Jonna te stellen. Het duurt een hele tijd voordat de politieagente alles heeft ingetikt. 'Eén moment,' zegt ze ten slotte. Ze verdwijnt in een gang.

Jonna's hart bonkt. Wat gaat er nu gebeuren?

'Kom, we gaan zitten,' besluit papa. 'Het duurt misschien nog even.'

'Ik heb dorst,' zegt Jonna. Ze gaat naar het toilet, waar plastic bekers hangen. Ze vult er een met koud water en drinkt. Dan steekt ze haar tong uit naar haar spiegelbeeld. Alleen omdat ze zenuwachtig is. Ze heeft geen flauw idee wat er gaat gebeuren. Ze hoopt dat de politie Sally en de jongens vindt. Ze hoopt dat het goed is dat ze alles aan de politieagente heeft verteld.

De politieagente komt terug met een collega. Het is een agent met een zwarte snor en opgewekte, bruine ogen. Met een knipoog naar Jonna roept hij hen weer naar de balie. 'Zo zo,' zegt hij. Hij legt zijn handen op Jonna's schouders. 'Deze jongedame is in contact geweest met de Perssonkinderen en hun vriend Joachim Södergren. Ik begrijp dat je je afvraagt waar ze nu zijn. Ze hebben er nogal een zootje van gemaakt. In het belang van het onderzoek mag ik helaas verder niets zeggen. Ik kan alleen vertellen dat ze op dit moment bij hun vader in Aspudden zijn. Die informatie kregen we net door.' De politieagent richt zich tot papa. 'Ik kan ervoor zorgen dat Sally jullie telefoonnummer krijgt. Dan kan ze zelf bepalen of ze belt. Is dat goed?'

Jonna knikt ijverig.

'Natuurlijk,' antwoordt papa.

Jonna schrijft haar naam en telefoonnummer op een stuk papier en geeft dat aan de politieagent. Dan bedanken ze hem en gaan weg.

Papa blijft een tijdje zwijgend achter het stuur zitten voordat hij de auto start. De zorgenrimpels trekken diepe sporen in zijn voorhoofd. 'Beloof me dat je vanaf nu met mama en mij praat over dingen die moeilijk lijken,' zegt hij ernstig. 'Je moet erop vertrouwen dat we het beste voorhebben met jou en je vrienden.'

Jonna's hart begint sneller te slaan. Dit is een perfecte gelegenheid om te vragen waarom mama en hij besloten hebben dat ze nog een baby willen zonder het aan haar te vragen. Ze denkt even na.

Dan laat ze haar adem ontsnappen. Laat maar. Het kan haar eigenlijk niet schelen. Het lijkt op de een of andere manier niet meer zo belangrijk. 'Dat beloof ik,' zegt ze alleen.

'Goed,' knikt papa. Zijn voorhoofd wordt glad en zijn ogen glinsteren als hij verder gaat. 'Ik ben trouwens heel trots op je. Dat met die pannenkoeken was een uitstekend idee.'

'We hebben vergeten de tekening te laten zien,' beseft Jonna.

'Dat was niet nodig,' zegt papa.

Jonna bedenkt dat ze hem wil bewaren.

Op de terugweg gaat papa langs de autowasstraat. Ze blijven in de auto zitten, terwijl het schuim over de motorkap wervelt, het water langs de ruiten stroomt en de grote borstels over de lak draaien. Ten slotte blazen de ventilatoren de auto droog.

'Dat was het,' zegt papa.

Daarna rijden ze terug naar Groendal. Jonna schrijft een korte, maar noodzakelijke brief aan Milan. Ze wil erachter komen of Birger gelijk had toen hij beweerde dat Milan een meidenversierder is.

Hallo!

Zijn er leuke meisjes in Gambia? Daar heb je nog niets over geschreven. Ik vraag het me gewoon af.

Knuffel van Jonna

16

Birgers tranen

Jonna voelt zich licht als een zeepbel als ze op maandagochtend naar school gaat.

De eerste les wil meester Chris het over de EU hebben. Hij vraagt een vrijwilliger om naar de kelder te gaan en de kaart van Europa te halen. Jonna steekt meteen haar hand op. Er is daarbeneden iets wat ze wil bekijken.

De kaarten staan opgerold in een kamer. Jonna ziet de kaart van Europa meteen, maar ze blijft nog even hangen. In de kamer staan namelijk ook andere dingen, van vroeger. Toen de leerlingen nog niet met behulp van kleurenfoto's, computers en films konden leren. Er zijn opgezette dieren, zoals een eekhoorn op een tak, een paar vogeltjes en een piepkleine muis. Die staan in een bruine kast met glazen deuren.

Het meest interessante zit in glazen potten. Die zijn gevuld met formaline, een conserveringsmiddel. Daarin liggen oeroude, verbleekte dieren en ingewanden.

Er is zelfs een kleine mensenfoetus.
Op de etiketten staat geschreven wat het is.

Pad, adder, kalfshart, linkerhersenhelft, mensenfoetus.

Jonna kijkt met interesse én angst naar het kleine ding met een navelstreng dat op een kikkervisje lijkt en dat in een glazen pot belandde in plaats van een echt mens te worden. De ogen zijn niet meer dan zwarte stipjes. Maar de handen hebben piepkleine vingers en de voetjes piepkleine tenen.

Arme stakker. Er moet iets mis zijn geweest, anders was hij waarschijnlijk gewoon doorgegroeid en als een normale baby geboren.

Jonna krijgt een brok in haar keel. Ze hoopt dat alles goed is met de baby in mama's buik. Eigenlijk heeft ze geen reden om boos op hem te zijn. De baby kan er niets aan doen dat hij er is.

Ze loopt met de kaart terug naar de klas. Meester Chris begint een lang verhaal over de Europese samenwerking, maar Jonna heeft iets anders aan haar hoofd. Ze vraagt zich af of ze het liefst een zusje of een broertje wil. Daan is Sally's broer. Ze lijken goed met elkaar overweg te kunnen. Een broertje is waarschijnlijk het leukst.

Tijdens de lunchpauze gaan Jonna, Fanny en Nick zoals

altijd naar de gymzaal. Birger staat er al. Hij is alleen en ziet eruit alsof hij iets kostbaars kwijt is.

'Waar is Isminni?' vraagt Fanny.

Birger schudt zijn hoofd.

Ze hebben vast ruzie gehad, denkt Jonna.

Birger draait zijn gezicht weg. Zijn brede schouders schokken. Grote, sterke Birger huilt.

Dat vindt Jonna vreselijk. Wat is er gebeurd? Ze heeft gisteren niets gemerkt.

'Gaan jullie maar,' zegt Nick. 'Ik praat wel met Birger.' Hij slaat zijn arm om Birgers schouders en neemt hem mee naar het voetbalveld. Ze lopen naar de struiken aan de rand en verdwijnen tussen de bladeren.

Jonna en Fanny hebben haast. Ze zoeken de hele school af, maar zien Isminni nergens. Ze heeft zich niet eens opgesloten in een van de toiletten. Ze vragen het aan haar klasgenoten, maar niemand weet waar ze is.

'Denk je dat ze naar huis is gegaan?' vraagt Fanny. 'Dat zou ik doen als ik ruzie met Nick had.'

Jonna kijkt op haar mobieltje. De pauze duurt nog een kwartier. Isminni woont in de Machinistenstraat. Als ze opschieten, halen ze het net.

Ze bellen aan.

Isminni opent de deur op een kier en kijkt erdoorheen. Haar neus is rood en gezwollen, haar ogen glanzen. Ze houdt haar oude knuffeldier in haar armen, een eland met lange poten. Zodra ze Jonna en Fanny ziet, stromen de tranen over haar wangen.

'Ik heb het uitgemaakt,' huilt ze. 'Birger is de allerstomste van de hele wereld.'

Jonna en Fanny kijken elkaar aan. Dit is een ramp.

Jammer genoeg hebben ze nu geen tijd om te praten. Ze omhelzen Isminni allebei lang. En ze spreken af om haar meteen na school op te halen en haar mee te nemen naar banketbakkerij Kringlan.

Jonna en Fanny zijn geschokt. Met hun hoofd vol nare gedachten lopen ze zwijgend terug naar school.

Het kan niet waar zijn, denkt Jonna. Als het uit is tussen Birger en Isminni is geen enkele liefde voor altijd. Ook niet die van Milan en haar.

17

Meisjes zijn een mysterie

'Birger is naar huis,' vertelt Nick. 'Hij heeft gezegd dat hij hoofdpijn heeft.' Meer wil Nick niet zeggen.

De hele middag knaagt de ongerustheid en nieuwsgierigheid aan Jonna en Fanny. Zodra de school uitgaat, rennen ze terug naar Isminni. Ze nemen de trap met twee treden tegelijk. Dat lukt als je je aan de leuning vasthoudt. Als ze boven zijn, staan ze een seconde stil om adem te halen en bellen dan aan.

Isminni heeft de eland met zijn lange poten nog steeds vast.

'Gaat hij ook mee naar Kringlan?' Jonna kan het niet laten om een grapje te maken.

Isminni maakt haar schoenveters vast en pakt haar jas. Ze lijkt iets minder verdrietig.

Fanny koopt frisdrank en een hartvormige appelkoek voor hen drieën. Jonna heeft geen geld. Ze heeft haar vijftig kronen aan Sally gegeven.

Ze gaan aan hun favoriete tafeltje bij het raam zitten. Daar hebben ze uitzicht over het Sannadalpark.

Er spelen een paar kinderen op de nieuwe schommel die is gemaakt van een enorme band. Hun moeders zitten erbij te kijken. Ze hebben allemaal baby's, de kinderwagens staan vlak naast elkaar geparkeerd.

Jonna wendt haar blik af. Ze wil op dit moment niet aan baby's denken. Ze wil graag over het bezoek aan het politiebureau vertellen, maar eerst moeten Fanny en Jonna naar Isminni luisteren.

Het duurt niet lang voordat ze een verklaring van Isminni krijgen. 'Birger zegt dat ik dik ben.'

'Waarom dat?' roept Fanny uit.

'Omdat ik het aan hem vroeg,' antwoordt Isminni. 'En toen zei die idioot dat het zo was.' Ze bijt de punt van de appelkoek af en neemt een slok sinas.

'Kijk,' roept Fanny, terwijl ze naar het raam wijst.

Birger en Nick slenteren langs het park. Ze lopen in de richting van de banketbakker.

De winkelbel rinkelt. Even later staan ze bij hun tafel.

Isminni wil niet naar Birger kijken. In plaats daarvan staart ze strak naar haar glas. Jonna ziet dat ze een glimlach probeert te verbergen.

'Het spijt me,' bromt Birger.

Isminni blijft naar haar glas kijken. Haar lange, donkere haren vallen voor haar gezicht. Jonna is ervan overtuigd dat ze lacht.

'Je hebt me gedwongen om het te zeggen.' Birgers stem is schril van vertwijfeling. 'Je werd boos toen ik zei dat je helemaal niet dik bent. Toen zei ik maar dat je dik was, hoewel ik dat helemaal niet vind. Als er iemand dik is, ben ik dat.'

Birger zit in een lastig parket. En het ergste is dat Isminni lijkt te genieten van de situatie.

Jonna schiet hem te hulp. 'Dat vroeg je ook aan mij, Isminni. En je werd boos op me toen ik zei dat je niet dik was.'

Isminni kijkt op van haar glas. 'Ja ja, wees het maar met elkaar eens. Twee tegen een is niet eerlijk.'

Birger krijgt een beetje van zijn zelfverzekerdheid terug. 'Je bent het mooiste meisje dat ik ken. Dik of dun maakt me helemaal niets uit.'

Dat is precies wat Isminni wil horen. 'Goed dan,' giechelt ze. De ruzie is over en Isminni neemt nog een hap appelkoek. 'Kom Birger, we gaan,' zegt ze daarna. 'Ik vergeef je.'

Birgers glimlach is als de zonsopgang. Hij begint helemaal te stralen. Isminni staat op en pakt zijn arm stevig vast. Dan zweven ze weg op een roze wolk.

Nick krabt op zijn hoofd. 'Meisjes zijn een mysterie,' mompelt hij.

'Niet allemaal,' merkt Fanny op. 'Maar sommige wel.'

Nick gaat op Isminni's plaats zitten en drinkt haar sinas op.

Voordat ze naar huis gaan, vertelt Jonna het goede nieuws

over Sally en de jongens dat ze van de politieagent heeft gehoord.

Als Jonna de voordeur opendoet, roept mama haar. 'Jonna, ren jij alsjeblieft even naar de supermarkt om knoflook te kopen.'

Omdat ze zo dicht bij de winkel wonen, zijn papa en mama slordig met inkopen doen. Het is toch zo makkelijk om Jonna naar de supermarkt te sturen. Ze gaat op en neer als een jojo om vergeten boodschappen te halen.

'Oké, ik doe het wel,' zucht ze.

Mama komt naar de hal met haar portemonnee. Haar schort zit strak om haar middel.

'Wat wordt je buik dik,' zegt Jonna.

'De baby schopt nu ook,' vertelt mama.

'Mag ik straks voelen?' vraagt Jonna.

Mama knikt. 'Natuurlijk.'

In de supermarkt ziet Jonna Milans moeder, Britt. Ze staat bij de melk. 'Hallo, Jonna!' groet ze vrolijk. 'Ga je overmorgen mee naar het vliegveld om Milan op te halen?'

'Natuurlijk! Is het al zover?' zegt Jonna verbaasd. De laatste weken zijn zo snel gegaan, dat Jonna bijna vergeten is op welke dag Milan terug zou komen.

'Ja, dat is het,' knikt Britt. 'Ik haal je om vijf uur 's ochtends op. Lukt het je om zo vroeg op te staan?'

'Natuurlijk lukt me dat,' weet Jonna zeker. 'Ik wil hartstikke graag mee.'

Als Jonna weer met de lift naar boven is gegaan, vertelt mama dat er net een fax is gekomen. Alsof Milan wist dat ze over hem praatten!

Hallo Jonna,

Hier komen de laatste groeten uit Gambia!
Er zijn hier heel veel knappe en leuke meisjes: Aisa, Njimma, Satou, Adama, Bintou, Fatima...
Maar jij bent hier niet! Als je eens wist hoe erg ik je mis... Kom je naar het vliegveld?
We zien elkaar snel!

Kussen en knuffels van Milan

Jonna gaat met de fax naar Frida. Ze móét hem gewoon aan iemand laten zien, want het is de mooiste brief die ze ooit heeft gekregen.

Als Frida hem heeft gelezen, verstrengelt ze haar handen in haar schoot. 'Liefde is vertrouwen in elkaar hebben,' zegt ze. 'Vergeet dat nooit.'

Na het avondeten gaat mama op de bank liggen en trekt haar trui omhoog. Ze wijst naar een plek onder haar navel, waar een bult zit. 'Daar,' zegt ze. 'Leg je hand erop, dan kun je hem voelen.'

Jonna voelt heel zachte duwtjes onder mama's huid. De

baby schopt! Nu begrijpt ze pas echt dat het waar is. Ze krijgt het er warm van. 'Heeft de baby pijn als hij geboren wordt?'

'Misschien wel,' knikt mama. 'In elk geval heeft de moeder pijn. Maar gelukkig vergeet je dat meteen weer, omdat je zo gelukkig bent als de baby er is.'

'Waren papa en jij gelukkig toen ik geboren werd?'

'We waren hartstikke gelukkig,' knikt mama, terwijl ze door Jonna's pagekapsel woelt. 'Het was de mooiste dag van mijn leven.'

'Waarom wilden jullie nog een kind?' vraagt Jonna. 'Hadden jullie niet genoeg aan mij?'

Mama glimlacht. 'Zo werkt dat niet,' legt ze uit. 'Ik heb genoeg liefde voor een heleboel kinderen.'

'Als de baby er is,' zegt Jonna zacht, terwijl ze over mama's buik aait, 'heb je twéé mooiste dagen van je leven.'

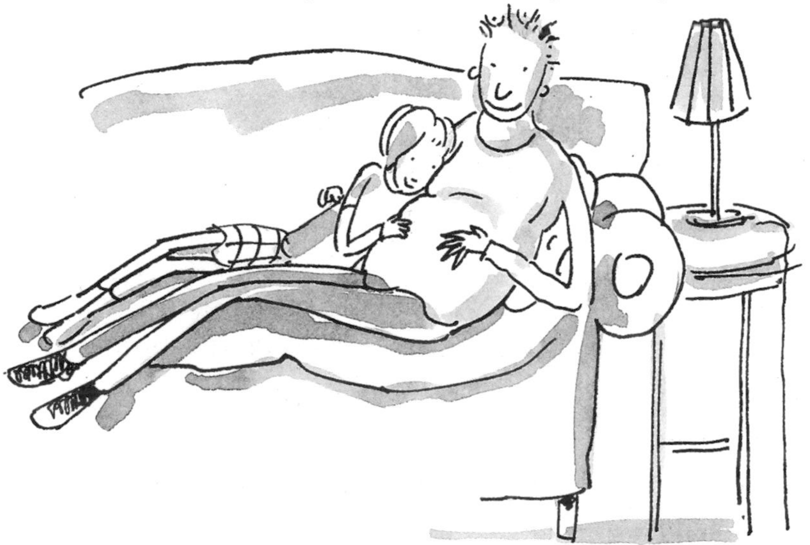

18

Het telefoongesprek

Jonna, Isminni en Fanny zitten op een schommel in het Sannadalpark, met kauwgom in hun mond. Fanny blaast de grootste bellen. Ze kleven aan haar gezicht vast als ze knallen. Isminni helpt haar om de kauwgom uit haar wenkbrauwen te halen.

Eigenlijk zijn ze te groot om in het park te spelen, maar soms is het fijn om je daar niets van aan te trekken. Om heel even net te doen alsof je weer klein bent en tot aan de toppen van de bomen te schommelen.

Birger en Nick leven zich uit op de glijbaan. Ze schreeuwen als vijfjarigen, terwijl ze naar beneden glijden en weer naar boven rennen. Het zweet staat op hun voorhoofd. De zon schijnt en hun jassen liggen op het grind.

'Hoe zou het met Sally en de jongens zijn?' vraagt Jonna.

'Goed,' zegt Isminni.

'Dat denk ik ook,' knikt Fanny. 'Ik hoop dat we ze nog een keer zien.'

Het is Jonna gelukt om zo hoog te schommelen, dat haar voeten de bladeren van de esdoorn raken. Telkens als ze naar beneden zwaait, krijgt ze een fijn, leeg gevoel in haar maag. Daarna zwaait ze met een gil weer naar boven, terwijl ze haar hoofd achterover laat hangen. Na een tijdje voelt ze zich misselijk worden.

Op dat moment gaat haar mobiel.

Jonna doet haar uiterste best om vaart te minderen. De schommel slaat zo hard tegen de schuine stang dat ze er bijna af valt. Als haar mobiel zes keer is overgegaan, heeft ze een normale snelheid en lukt het haar om op te nemen. En dat is maar goed ook, want het is Sally.

Dat is de tweede keer in een paar dagen dat Jonna aan iemand denkt en dat ze dan iets van diegene hoort. Zoals gisteren met die fax van Milan. Het lijkt wel alsof het wordt geregeld door een bovennatuurlijke kracht.

Als Jonna hoort dat het Sally is, krijgt ze een brok in haar keel. Ze kan geen woord uitbrengen.

Isminni ziet haar verbaasde, gelukkige gezicht. 'Wie is het? Wat is er?' Ze port Jonna in haar zij.

Dan verdwijnt het brok. 'Hallo,' zegt Jonna bijna verlegen.

'Ik heb je telefoonnummer net van de politie gekregen. Ik was er hartstikke blij mee.'

'Hoe is het met jullie?' vraagt Jonna, terwijl ze naar de knalblauwe, wolkeloze hemel kijkt.

Sally vertelt dat haar vader, vlak nadat Jonna de pannenkoeken had gebracht, bij Villa Moonlight opdook om hen mee naar huis te nemen. Hij had hun vermissing bij de politie aangegeven. Een buurman had hen herkend toen hij zijn hond Tessa uitliet. Hij had hen gezien toen ze takken verzamelden in het bos.

Het was fijn dat ze gevonden waren. Eindelijk sliepen ze weer in een echt bed, konden ze onder de douche en kregen ze warm eten.

Toen hun vader snapte hoe graag Sally en Daan in Stockholm wilden blijven, begreep hij hoe stom hij was geweest. Hij had meteen naar hen moet luisteren. Ze mochten bij hem blijven wonen en in de vakanties gingen ze naar hun moeder in Knärpinge.

'En Joachim?' vraagt Jonna.

'Mijn vader heeft tegen hem gezegd dat hij zo vaak als hij wil bij ons mag slapen, vooral als zijn ouders weer eens op stap zijn. Dat gebeurt zowat elk weekend.'

'Wat goed,' is het enige antwoord dat Jonna kan bedenken.

Fanny en Isminni proberen om het hardst hun oor tegen haar mobiel te drukken om mee te luisteren.

Jonna springt van de schommel en loopt een stukje weg. Het is onmogelijk om te praten als die twee over haar heen hangen. 'Misschien kunnen we een keer met elkaar afspreken?'

'Gezellig,' zegt Sally. 'Trouwens, je krijgt nog geld van me.'

Jonna lacht. Die vijftig kronen kunnen haar niet schelen.

'Waarom kom je zaterdag niet?' stelt ze voor. 'Neem Daan en Joachim mee, dan kunnen jullie mijn vriend Milan ontmoeten. Hij komt morgen terug uit Gambia.'

19

Naar het vliegveld

Het is nog maar vijf uur in de ochtend als Jonna voor in de krakkemikkige Ford van Milans moeder gaat zitten. Het vliegtuig landt net voor zessen. Als ze doorrijden zijn ze precies op tijd.

'Ben je moe?' vraagt Britt.

'Ik heb vannacht nauwelijks geslapen,' bekent Jonna.

'Je hebt hem gemist, nietwaar?'

Jonna knikt.

'Ik ook,' zegt Britt, terwijl ze naar haar glimlacht. 'Ik ben er niet aan gewend dat Milan er niet is. We zijn altijd met z'n tweeën geweest. Maar ik ben blij voor hem. Jongens hebben een vader nodig.'

Ze rijden het Essingepad op en slaan af in de richting van vliegveld Arlanda. Telkens als Britt schakelt, lijkt het alsof de motor ermee stopt. En als ze dan het gaspedaal indrukt, schiet de auto vooruit.

'Geef er niet juist vandaag de brui aan...' mompelt ze.

Jonna duimt.

Ze naderen een benzinestation.

'Ik moet het even controleren.' Britt rijdt het parkeerterrein op. Daar sputtert de motor en slaat af. 'Dat kunnen we net gebruiken.' Britt gooit het portier open en stapt uit.

Jonna kijkt snel op haar horloge. Nog dertig minuten. Als ze het maar halen! Anders is het zo zielig voor Milan. Hij denkt misschien dat ze hem vergeten zijn of dat er iets is gebeurd. Dat is natuurlijk ook zo, maar dan alleen autopech.

Britt steekt haar hoofd naar binnen. 'Niets aan de hand.' Ze probeert opgewekt en nonchalant te klinken, maar Jonna trapt er niet in.

Gelukkig is het benzinestation bemand. Een jong meisje in een overall komt naar buiten op het moment dat Britt weer met haar hoofd onder de motorkap verdwijnt. Het meisje heeft gereedschap bij zich en verdwijnt ook onder de motorkap.

Jonna doet haar ogen dicht. Ze bidt, hoewel ze niet zeker weet of er een God bestaat. Frida gelooft dat wel. En misschien heeft ze gelijk.

Lieve God, zorg ervoor dat de auto weer start. Zorg ervoor dat we op tijd bij Milan zijn.

Dan herinnert ze zich wat Milan over de taxi in Gambia schreef. Ze lacht. Hier zijn ook krakkemikkige auto's.

De minuten tikken door.

Plotseling gooit Britt de motorkap met een knal dicht en

geeft het meisje een hand. Ze gaat in de auto zitten en draait het contactsleuteltje om. Na wat aarzelend gesputter start de motor.

'Ziezo.' Ze geeft gas en zwaait naar het meisje.

Jonna schuift de mouw van haar jas omhoog om op haar horloge te kunnen kijken. Ze doet het een beetje stiekem, zodat Britt het niet ziet.

Nog vijftien minuten.

Tien.

Vijf.

Eindelijk zijn ze er!

Milans moeder parkeert de auto om tien over zes.

Als Jonna de aankomsthal binnenrent, heeft ze kriebels in haar maag. Ze kijkt niet eens of Britt haar wel bijhoudt.

Jonna ziet hem meteen. Hij zit helemaal alleen op een bank te wachten.

'Jonna!' Milan gaat staan.

Wat is hij bruin geworden! Hij is nog donkerder dan anders. Zijn tanden glanzen wit als hij glimlacht. En hij heeft geen pet op zijn hoofd, maar een rond, plat mutsje met goudborduursel. Wat is hij mooi. Hij is anders.

Het is een heerlijk gevoel als Milan zijn armen om haar heen slaat en haar tegen zich aandrukt.

Jonna kan er niets aan doen dat er vreugdetranen over haar wangen stromen. 'Welkom thuis,' snikt ze.

Milan lacht.

Dan lacht Jonna ook.

'Niet huilen, idioot,' zegt Milan zacht en hij droogt haar tranen met zijn hand.

Britt tikt op Jonna's schouder. 'Ben ik nu aan de beurt?'

Britt en Milan omhelzen elkaar een beetje te lang naar Jonna's smaak. Ze heeft geen geduld om te wachten. Naast Milan staat een gevaarte in een hoes, bedrukt met groene krokodillen. Ze tilt hem op. 'Zal ik deze naar de auto dragen?'

'De trommel neem ik zelf.' Milan laat zijn moeder los en schuift de band over zijn schouder. 'Ik heb cadeautjes voor jullie,' zegt hij met glinsterende ogen.

Jonna en Milan kijken elkaar aan en glimlachen. Ze hebben zo veel om over te praten.

Ze zitten in Milans kamer en eten geroosterde pinda's uit Gambia. Jonna kan er geen genoeg van krijgen om te horen wat hij allemaal heeft gedaan.

Milan vertelt. Over Mariama, en Mohammed en Fatou, zijn halfbroertje en halfzusje. Over alle andere familieleden die in het grote huis van zijn vader wonen. Over de tuin waar bananen en sappige mango's groeien. En over de vrienden met wie hij heeft gezwommen, gevoetbald en plezier gemaakt.

'Het was zo gaaf,' lacht Milan. 'Voor het eerst in mijn leven was ik lichter dan de anderen. Mijn vrienden in Gambia zijn veel donkerder dan ik.'

'Het klinkt alsof je daar niet eenzaam hoeft te zijn,' zegt Jonna.

'Geen seconde,' beaamt Milan. 'Het is er gezellig.'

'Is het eten lekker?' wil Jonna nieuwsgierig weten.

Milan vertelt hoe ze elke avond bij elkaar kwamen om te eten: vis met palmolie en rijst of gegrilde kip met yassa, dat wordt gemaakt van olie, uien en mosterd. En later op de avond dronken ze in de tuin thee met veel suiker. Soms speelden ze op de trommel en dansten ze onder de sterren.

Terwijl Milan vertelt, friemelt Jonna aan het zilveren armbandje dat ze van hem heeft gekregen. Het is hartstikke mooi, met palmbomen en olifantjes.

Milans oom is zilversmid en hij heeft het speciaal voor haar gemaakt.

'En de meisjes?' Jonna kan het niet laten om naar ze te vragen. 'Waren ze verliefd op je? Birger zegt dat alle meisjes dat zijn.'

'Natuurlijk,' antwoordt Milan pesterig.

Jonna lacht omdat het duidelijk is dat hij een grapje maakt. Over die meisjes hoeft ze zich geen zorgen te maken. Maar er is nog iets belangrijks waar ze het niet over hebben gehad. 'Je zei dat je bij je vader ging wonen,' zegt ze.

'Nou...' aarzelt Milan, 'ik blijf waarschijnlijk hier wonen. Maar ik denk dat ik wel snel weer voor even terugga, want ik vind het fijn in Gambia.'

'Dan kun je zeggen dat je twee huizen hebt,' merkt Jonna op.

'Ja,' lacht Milan. 'Sommige mensen hebben geluk.'

Ten slotte klopt Britt op de deur. 'Het is tijd om naar huis te gaan, Jonna. Je moeder heeft gebeld.'

Jonna zucht. 'Oké dan.'

'We zien elkaar morgen,' zegt Milan. 'Dan moet je alles over je nieuwe vrienden vertellen.'

'Zaterdag kun je ze ontmoeten,' vertelt Jonna.

Dan omhelzen ze elkaar. En geven elkaar een snelle kus. Jonna voelt het helemaal tot in haar maag.

20

Het strandbad

Jonna wordt wakker omdat er iets over haar dekbed loopt. Ze probeert het te negeren. Dan duwt er iets nats en kouds tegen haar wang. Ze draait zich geïrriteerd naar de muur en trekt het kussen over haar hoofd. Meteen klinkt er ontevreden gepiep en gejank.

Met tegenzin draait Jonna zich om. Ze doet traag haar ogen open en kijkt streng naar haar harige logé. 'Sigge,' moppert ze. 'Slaap!'

Maar daar heeft Sigge helemaal geen zin in. Hij legt zijn voorpoten op haar buik en keft triomfantelijk omdat het hem gelukt is om beweging in zijn nieuwe vrouwtje te krijgen.

'Het is nog maar halfzeven,' moppert Jonna. 'En ik heb nog een week zomervakantie.'

Sigge houdt zijn kop scheef en kijkt haar smekend aan.

Jonna's geweten knaagt. Diep vanbinnen weet ze dat ze nu moet opstaan om hem uit te laten. Voordat Birger op zeilkamp ging, heeft hij een lijstje gemaakt met alles wat ze moest doen. Bovenaan stond: *Eerste keer uitlaten om zes uur. (Let op! Ook op zaterdag en zondag.)*

Jonna heeft nog nooit een huisdier gehad. Ze wist niet precies waaraan ze begon toen ze aanbood om op Birgers hond te passen. Ze dacht dat het fantastisch zou zijn. Maar nu weet ze dat het niet de hele tijd fantastisch is.

'Oké, kleine man,' zegt ze met haar liefste hondenstem. 'Ik trek mijn kleren aan en dan gaan we.'

Sigge springt op de grond en als Jonna een broek en een shirt aantrekt, glimlacht hij tegen haar.

Het is niet normaal dat honden glimlachen. Birger heeft Sigge een jaar lang getraind en de dag voordat hij op zeilkamp ging, lukte het. Birger was zo blij, dat hij Jonna en Milan op een uitgebreide maaltijd in de snackbar trakteerde. En Sigge kreeg twee gedroogde varkensoren om op te kluiven.

Jonna smelt. Het ziet er zo grappig uit als de zwarte mondhoeken uit elkaar gaan en de geelwitte tanden tevoorschijn komen. 'Jemig, wat ben je lief,' lacht ze en ze woelt door Sigges vacht.

Sigge kwispelt vrolijk met zijn staart bij wijze van antwoord.

Zomerochtenden zijn heerlijk. Als Jonna niet op Sigge had gepast, had ze dat nooit geweten. Toen de zomervakantie pas begonnen was en ze nog niet voor Sigge zorgde, belde

Milan haar altijd tegen de middag op om te vragen of ze hem soms was vergeten.

Maar niet alleen Jonna houdt van haar bed. Het lijkt wel alsof mama in dat van haar wóónt. Ze zegt dat ze moet rusten omdat ze pijn in haar rug heeft. De afgelopen weken is haar buik zo rond geworden, dat hij op een strandbal lijkt. Over twee maanden komt de baby. Hij groeit flink.

Mama heeft verteld dat de baby in de baarmoeder ligt. Daarbinnen zit allemaal water dat hem tegen stoten beschermt. Jonna heeft ook een baarmoeder. Die is piepklein. Maar op een keer, als ze volwassen is, groeit daarbinnen misschien ook een baby...

Iets anders is dat mama stapelgek is op koffiebroodjes. Ze zegt dat het normaal is dat je trek hebt in rare dingen als je zwanger bent. Papa moet elke dag naar de banketbakker om er een paar te kopen. Nu banketbakkerij Kringlan dicht is in verband met de zomervakantie, gaat hij met de auto naar Hornstull om de broodjes te kopen die mama wil hebben, met jam én bakkersroom.

Zodra papa terug is, roept mama dat hij naar de slaapkamer moet komen. Ze stopt een kussen achter haar rug, scheurt de zak open en begint te schransen. Een, twee, drie koffiebroodjes achter elkaar. Binnen een paar minuten zijn ze op. Daarna klaagt ze dat ze te veel heeft gegeten en dat ze misselijk is. En dan gaat ze weer liggen.

Papa zegt dat ze moet bewegen, maar dan wordt mama boos.

Als het zo moeilijk is, wil Jonna misschien toch geen kinderen als ze volwassen is.

Jonna slentert met Sigge naar de jachthaven. Het water van het Malarenmeer lijkt net zijde. Als er een zeilboot voorbijvaart, bolt het zacht rond de voorsteven.

Het is doodstil. De lucht is warm en vochtig, maar aan de gele bladeren van de berken is te zien dat het bijna herfst is. Jonna wordt er een beetje weemoedig van.

Ze gaat op een rots zitten en laat Sigge los. Hij is een hele tijd bezig met snuffelen en alles onderzoeken.

Dan krijgt Jonna een idee. 'Kom, Sigge.' Jonna doet hem zijn riem om en ze lopen via de Groendalseweg en de trap naar het flatgebouw waar Milan woont.

Sigge begint te trekken. Hij denkt natuurlijk dat hij naar huis gaat, want Birger en Milan wonen in hetzelfde trappenhuis.

Daar heeft Jonna niet aan gedacht. Ze gaat op haar hurken zitten. 'Nee, Sigge,' zegt ze. 'Het baasje komt pas volgende week terug.'

Sigge houdt zijn kop scheef en wordt weer rustig. Het is net alsof hij haar begrijpt.

Jonna pakt een paar steentjes uit het bloemperk onder Milans raam. Ze mikt en gooit. Twee voltreffers. Pang! Pang!

Daarna kan ze alleen maar wachten. Het duurt vijf minuten voordat het raam piepend opengaat en Milans bruine gezicht tevoorschijn komt.

'Goedemorgen,' roept Jonna.

'Hoe laat is het?' vraagt Milan slaperig.

'Een mooie tijd voor een ochtendduik,' lacht Jonna.

Eerst gaan ze naar Jonna's huis om een picknickmand klaar te maken. Sigge krijgt wat te eten. Daarna gaan ze met z'n drieën naar buiten. In de picknickmand hebben ze een thermoskan met sap en ijsblokjes, een plastic doos met koekjes en boterhammen, en water voor Sigge. Inmiddels brandt de zon.

Jonna en Milan zijn de hele zomer bijna elke dag naar het strandbad geweest. Het is gaaf om van de rotsen in het lauwe, groene water van het Malarenmeer te springen.

Milan draagt zijn platte, ronde mutsje met goudborduursel uit Gambia. De trommel hangt in de krokodillenhoes over zijn schouder. Hij is er bekend door geworden. Andere jongens en meisjes bij het strandbad vragen soms of hij voor hen wil spelen. Dat doet Milan graag en het is duidelijk te merken dat hij er plezier in heeft. Maar nu is er nog niemand; het is nog te vroeg.

Ik vraag me af hoe Isminni het in Griekenland heeft, denkt Jonna.

Isminni is met haar ouders op bezoek bij familie. Fanny is naar haar oma. Nick zit elke dag achter zijn computer nu ze weg is. Hij heeft geen tijd om te zwemmen.

Jonna brengt Sigge naar een schaduwplek onder een berk. Ze maakt zijn riem om de stam vast en zet het bakje met water neer. Honden krijgen ook dorst van de warmte.

Eigenlijk mogen hier geen honden komen, maar er is niemand die zich daar druk om maakt. Het strandbad is geen gewoon strand met zand en kleine kinderen. Als je van de rotsen wilt duiken, moet je goed kunnen zwemmen, want het is diep. En als er een boot door de vaargeul vaart, spoelen er enorme boeggolven over de stenen.

Als ze de deken hebben neergelegd en een boterham hebben gegeten, pakt Jonna haar mobiel en belt Sally. Joachim en zij fietsen vaak van Aspudden naar het strandbad om Jonna en Milan te ontmoeten. Daan is verliefd op een meisje uit Bredäng, dus hij gaat meestal naar het Sätrabad.

Daarna gaat Jonna naast Milan liggen en doet haar ogen dicht tegen de zon. Ze denkt aan de keer toen ze Sally, Joachim en Daan voor het eerst bij haar thuis had uitgenodigd. Ze zagen er heel anders uit toen ze met schone kleren en gewassen haren bij haar in de hal stonden. Ze hadden bloemen voor Jonna gekocht. Om te bedanken voor de pannenkoeken, had Joachim gezegd.

Milan was er ook. Hij speelde op zijn trommel. Mama had lekker gekookt en papa hield een toespraak. Dat vond Jonna nogal ongemakkelijk, maar ze was ook een beetje trots. Papa vertelde aan iedereen hoe bezorgd Jonna was geweest over Sally en de jongens. Hij zei dat de wereld meer Jonna's nodig had. Mensen die zich wat aantrokken van hun medemensen.

'Daar drinken we op,' had Daan gezegd en toen proostten

ze allemaal met hun glas met vlierbessenlimonade.

Een uur later zijn Sally en Joachim er ook. Ze kletsen even en daarna gaan Milan en Joachim achter de bosjes hun zwembroek aantrekken. Sally heeft haar badpak al aan.

Jonna trekt haar jurk over haar hoofd. Daaronder draagt ze haar nieuwe, rode bikini.

'Kom, dan springen we erin,' stelt Sally voor.

Jonna staat op van haar badlaken. Ze strekt haar rug. Als ze op het steigertje staat om te duiken, draait ze zich om.

Op dat moment stapt Milan uit de bosjes. Hij kijkt naar haar en lacht.

Jonna lacht terug.

21

Grote zus

Op een nacht aan het eind van oktober wordt Jonna wakker van lawaai in de gang.

De deur van haar kamer gaat open en papa steekt zijn hoofd naar binnen. Het lijkt alsof hij buiten in de wind heeft gestaan. Hij heeft zijn jas aan, zijn wangen zijn vuurrood en zijn grijze haar staat recht overeind.

'We gaan naar het ziekenhuis,' fluistert hij. 'Mama heeft weeën.'

Jonna komt met een ruk overeind.

'Als je niet alleen wilt zijn, kun je naar Frida gaan,' zegt papa.

Jonna schudt haar hoofd. 'Bel je zodra de baby er is?'

Papa knikt.

Jonna ziet dat mama tegen de muur leunt met een jas over haar schouders. Ze drukt haar handen tegen haar buik en haalt diep adem.

'Succes, mama,' zegt Jonna zacht.

Mama kijkt naar Jonna en glimlacht moeilijk. Ze heeft pijn.

Jonna komt uit bed. Haar knieën trillen als ze de hal in loopt. Ze geeft haar moeder een knuffel, zwaait en doet de deur achter hen dicht.

Jonna gaat naar de keuken om een kop thee te zetten. Dan kruipt ze met een deken op de bank. Ze legt haar mobiel voor zich op tafel.

Vier uur later belt papa. Jonna is in slaap gevallen, maar ze is onmiddellijk klaarwakker.

Papa vertelt dat alles goed is gegaan. Ze heeft een broertje. Hij weegt 3400 gram en is 52 centimeter lang. 'Ik kom je halen, Jonna. Kleed je vast aan, zodat je klaar bent als ik er ben.'

Jonna heeft in haar hele leven nog nooit zo'n haast gehad. Als papa langs de stoep parkeert, staat ze al te wachten. En zodra ze haar veiligheidsgordel om heeft, keert hij de auto en rijden ze terug.

Ze zwijgen. Het is een verwachtingsvolle en gelukkige stilte.

Het ziekenhuis is verlicht, maar binnen is het doodstil. Af en toe zien ze iemand in witte kleren die met een step door de lange gangen rijdt. Het is personeel dat snel ergens naartoe moet.

Papa drukt op de liftknop. Ze gaan de lift in, stappen uit

bij de juiste verdieping en lopen weer door een gang.

'Hier is het,' zegt papa plotseling en hij doet een deur open.

Jonna hoort babygeluidjes uit de kamer komen. Schattig gekerm, geknor en gepiep. Haar hart bonst als ze mama in het ziekenhuisbed ziet. Ze ziet bleek, maar straalt van geluk. Naast haar staat een bedje op wielen.

Mama knikt.

Jonna loopt er meteen naartoe en kijkt erin. Ze krijgt tranen in haar ogen. Hij is zo schattig en hulpeloos met zijn zwarte, verwarde haren en zijn gezichtje dat zo rood is als een kreeft.

'Hij probeert op zijn handje te zuigen,' lacht Jonna.

'Ja, hij heeft honger.' Mama pakt de baby, knoopt het lichtblauwe ziekenhuishemd dat ze draagt, open en legt hem aan haar borst. Hij begint meteen te zuigen.

'Wat een gulzige, kleine aap,' grijnst papa.

'Hij lijkt op jou, toen jij net geboren was,' vertelt mama aan Jonna.

'Mag ik hem straks vasthouden?' Jonna gaat naast mama op bed zitten.

Als de baby klaar is, geeft mama hem aan haar. 'Hou zijn hoofdje goed vast,' waarschuwt ze. 'Hij is nog niet sterk genoeg om het zelf omhoog te houden.'

Als Jonna het warme lijfje in haar armen heeft, krijgt ze een gevoel dat ze nog nooit eerder heeft gehad. Het lijkt op verliefdheid, maar het is ook iets anders. Ze voelt zich sterk.

Haar leven is net zo mooi als het baby'tje in haar armen.

Nu ben ik een grote zus, denkt ze. En dit is mijn kleine broertje. Ik zal altijd aardig tegen hem zijn. Je hoeft je nergens ongerust over te maken, want wij zorgen voor je. Mama, papa en ik. 'Ik vind dat hij Nils moet heten.'

'Dat is een mooie naam,' knikt mama.

'Hallo, Nils,' lacht papa en hij pakt zijn handje vast.

'Nu moeten jullie ons een tijdje alleen laten,' zegt mama. 'Nils en ik moeten rusten. Jullie mogen vanmiddag terugkomen om ons te halen. De dokter heeft gezegd dat ik straks naar huis mag.'

Zodra Jonna thuis is, belt ze bij Frida aan en vertelt over Nils. En papa belt naar school om uit te leggen waarom Jonna vandaag niet komt. Dan ruimen ze op en maken het gezellig, tot het tijd is om mama en het kleine broertje op te halen.

Alles is klaar. Nils' wiegje staat opgemaakt in de slaapkamer van papa en mama. In de badkamer staat een commode met kleine luiers, zachte washandjes en babyolie. Het babystoeltje is in de auto geïnstalleerd.

Op weg naar het ziekenhuis stoppen ze bij een bloemenwinkel en kopen een enorm boeket voor mama. Ze is er heel blij mee. Dan trekken ze Nils het zachte babypakje aan en doen hem een mutsje op. En Jonna geeft trots de piepkleine schoentjes die ze stiekem met Isminni heeft gebreid. Ze passen precies.

'Mijn allerliefste Jonna,' zegt mama zacht. Ze houdt haar een hele tijd tegen zich aan.

Als ze in de auto naar Groendal rijden, is Jonna verdiept in mooie gedachten. Zodra ze thuiskomt, gaat ze Milan, Fanny, Isminni, Sally en alle anderen bellen om het fantastische nieuws te vertellen!

Op de volgende pagina's kun je vast
het eerste hoofdstuk lezen van het boek

MIJN GROTE DROOM

door Cindy Jefferies

Chrissy kan goed zingen en wil dolgraag wereldberoemd worden.
Als ze auditie mag doen voor Rockley Park, dé school voor poptalenten, hoeft ze niet lang na te denken.
Dit is haar grote kans!

ISBN 978.90.206.6321.1

Een geboren zangeres

Chrissy stond in haar eentje op het podium; een slank meisje in een zwarte spijkerbroek en een roze shirtje. Toen de muziek begon, stond ze bijna helemaal stil, met haar armen losjes langs haar lichaam. Alleen haar voet tikte zachtjes op de maat. Haar elfachtige gezichtje, met daarboven het warrige, bruine haar dat haar handelsmerk was, leek piepklein toen ze daar zo bij die enorme speakers stond. Camera twee zwaaide achter haar naar beneden en filmde de gigantische menigte die op de muziek stond mee te deinen. Maar Chrissy was volledig geconcentreerd. Voor haar fans en haar muziek moest ze alles geven.

Ze wist waar camera een zich bevond en draaide zich om. Haar gezicht was meteen in close-up te zien op het grote scherm achter haar. Het publiek slaakte een diepe zucht van gelukzaligheid. Chrissy bracht de microfoon eerbiedig omhoog, tot vlak bij haar mond. Ze zong de tekst eerst zacht, smekend, en halverwege het eerste couplet nam de kracht van het lied het over.

Haar gezicht was een en al emotie en in haar hoofd verhief haar stem zich, waardoor de zaal werd gevuld met een heel zuiver geluid. Ze keek recht in de camera en gaf zich

Eerste hoofdstuk uit *Star School - Mijn grote droom*

over aan alle mensen thuis, en ook aan de mensen die naar het concert waren gekomen. Het publiek ging uit zijn dak en Chrissy genoot van het enthousiasme van haar fans. Dit was haar beste optreden ooit.

'Chrissy, mag ik dit van je lenen?' Jenna hield een lichtblauw sjaaltje omhoog. Camera, podium, publiek, alles verdween.

Chrissy bleef even staan en probeerde zich het gedroomde optreden weer voor de geest te halen, maar ze was het kwijt. Het had geen zin. Jenna was midden voor de spiegel gaan staan, hoewel Chrissy nog niet klaar was met playbacken. Chrissy legde de borstel voorzichtig neer, alsof het echt een microfoon was.

'Ik was nog niet klaar,' zei ze verontwaardigd. Haar publiek was nu volledig opgelost. 'En het is echt heel belangrijk om voor de camera te kunnen zingen. Weet je, ik heb in een tijdschrift gelezen dat de camera je beste vriend moet worden als je goed over wilt komen.'

'Sorry.' Jenna was Chrissy's beste vriendin, maar zelfs zij begreep niet echt waar Chrissy altijd over fantaseerde en ze had geen idee welk lied ze in zichzelf aan het zingen was. 'Is er hier nog wel ruimte genoeg om te dansen, nu je dat bureau hebt?' vroeg ze.

Chrissy keek boos naar het stomme bureau dat haar moeder voor haar had gekocht. Voordat dat ding hier stond, was er al zo weinig ruimte geweest. 'Het lukt wel,' zuchtte Chrissy.

'Kom op, we gaan ervoor. We doen dat dansje dat we geoefend hebben. Niet vergeten: stap-draai, stap-draai.' Ze gingen naast elkaar staan en Chrissy zette de muziek zachtjes aan. De dreunende bas moest eigenlijk veel harder, maar ze wilde niet op haar kop krijgen omdat ze haar broertje wakker had gemaakt.

'Ligt Ben al in bed?' vroeg Jenna.

Chrissy knikte. Stap-draai, stap-draai, stap...

'Au!' Chrissy stootte zich aan het bureau en smeet uit woede haar huiswerk door de slaapkamer. 'Als ik beroemd ben,' zei ze boos tegen Jenna, 'dan neem ik een gigantische slaapkamer. Nee, nog beter: ik neem waarschijnlijk een kamer om in te slapen en een kamer alleen voor mijn kleren en spullen. En dan heb ik echt geen bureau nodig! En ik hoef dan ook geen dansjes van anderen meer na te doen. Want dan heb ik een choreograaf die de dansjes bij mijn liedjes bedenkt. En ik heb goeie kleren voor mijn optredens,' voegde ze eraan toe. Ze gooide een lap oude gordijnstof over haar schouder om hem daarna wanhopig op haar bed te smijten.

'Cool,' vond Jenna. 'Als je beroemd bent, krijg je alles wat je maar wilt. Ik wil honderd katjes in mijn kleedkamer.'

'Honderd katjes! Dat is echt veel te veel!' Chrissy wist dat Jenna over die katjes begon omdat ze van haar moeder geen jong poesje van Katie Wilson mocht overnemen. 'Straks plassen ze allemaal op je vloerbedekking,' zei ze met opgetrokken neus.

'Een van mijn bedienden maakt dat wel schoon,' giechelde Jenna.

Chrissy zuchtte en wreef over de pijnlijke plek op haar billen. 'Beroemd zijn is meer dan alleen maar rijk zijn, hoor,' zei ze. 'Het is geen spelletje, Jenna. Ik weet wel dat het leuk is om te fantaseren over al dat geld dat je kunt krijgen wat je wilt, maar het gaat om meer! Ik wil echt een popster worden en er niet alleen maar over dromen. Stel je voor dat duizenden mensen gelukkig worden omdat jíj voor hen zingt. Dat is toch super! Dat wil ik bereiken, maar we redden het nooit als jij niet serieus bent.'

'Ik ben wél serieus!'

Stap-draai, stap-draai. Er was net genoeg ruimte tussen het bureau, de kast en Chrissy's bed. Chrissy stootte Jenna aan en ze hielden allebei hun microfoon omhoog voor de laatste regel van het lied. Jenna's stem galmde door de kleine slaapkamer – ze dacht niet meer aan Ben. Chrissy dook naar haar cd-speler, maar het was al te laat.

'Wat doen jullie in vredesnaam?'

Beiden antwoordden ze schuldbewust: 'Niks.'

Chrissy's moeder stond in de deuropening. Ze keek erg boos. 'Jullie hebben Ben alweer wakker gemaakt. Hoe vaak heb ik niet gezegd dat jullie stil moeten zijn als Ben net in bed ligt? Jullie weten best dat hij er meteen uit wil als hij jullie hoort.'

'Sorry,' mompelden ze.

'Hebben jullie je huiswerk al af?' Chrissy's moeder zag de schoolboeken op de vloer liggen.

'Nog niet.'

'En ik dacht nog wel dat jullie daarom naar boven waren gegaan. Chrissy, als je aan je huiswerk was begonnen toen ik Ben naar bed bracht, dan zou je hem nu niet uit zijn slaap houden.'

Chrissy knikte beschaamd.

'Misschien moet ik maar gaan,' zei Jenna ongemakkelijk.

'Ja, dat is misschien wel een goed idee,' antwoordde Chrissy's moeder. 'Nu Ben zo'n moeite heeft met inslapen, kun je maar beter meteen uit school langskomen in plaats van na het avondeten.'

De meisjes liepen stilletjes naar beneden.

'Sorry, hoor,' fluisterde Jenna. 'Tot morgen.' Ze schuifelde het paadje af en wandelde de tuin uit.

Chrissy deed de voordeur dicht en leunde ertegenaan. Jenna had makkelijk praten. Zij had geen broertje dat niet wilde slapen of een stom bureau dat hun danstraining verpestte, dacht Chrissy met een zucht. Jenna hoefde ook niet altijd zachtjes te doen. En Jenna's moeder zeurde ook niet altijd over haar huiswerk. Kon ze maar vaker naar Jenna toe. Het was onwijs moeilijk om zo ambitieus te blijven als de rest van je familie niet snapte dat je het liefst popzangeres wilde worden.

Langzaam en in gedachten verzonken liep ze de trap weer op. De herinnering aan een verjaardagspartijtje van jaren geleden was nog steeds niet vervaagd. Iedereen had gelachen om de manier waarop ze *Happy Birthday* zong. Nog steeds was ze ervan overtuigd dat ze niet vals had gezongen, alleen maar heel hard.

Veel erger was, dat ze in het basisschoolkoor van mevrouw Pendle altijd werd teruggefloten omdat haar stem niet bij die van de rest van de klas paste. Het was niet eerlijk.

Mam stond haar op de overloop op te wachten. 'Ruim die

troep maar snel op en maak je huiswerk. Die boeken horen niet op de vloer te liggen. Je zou er eens wat zuiniger op moeten zijn. Schoolboeken zijn belangrijk.'

'Je hoefde me niet op mijn kop te geven waar Jenna bij was,' zei Chrissy boos. Ze legde de boeken met een klap op haar bureau. 'Ik schaam me rot.'

'Dat spijt me dan, maar als jij gewoon je huiswerk had gemaakt, was er niks aan de hand geweest. En trouwens, je zit nu op de middelbare school: je kunt toch niet de hele dag samen met Jenna doen alsof jullie popsterren zijn? Ik heb je al eerder gezegd dat het belangrijk is dat ze een goede indruk van je krijgen op school. Je wilt toch niet dat de leraren denken dat je helemaal niets kunt?'

'Best hoor!' Chrissy deed de deur achter haar moeder dicht en moest zich inhouden om hem niet dicht te gooien. Ze liet zich in de stoel bij haar nieuwe bureau vallen en legde haar kin in haar handen.

Ze was niet van plan om op te geven. Echt niet! Hoe moeilijk mam het haar ook maakte. Ooit zouden zij en Jenna op tv komen en dan kon iedereen hen zien. En dan zou mam niet meer zeuren over dat stomme huiswerk!

Nieuwsgierig hoe het verder gaat?
Lees dan:

STAR SCHOOL

MIJN GROTE DROOM